科学はこう「たとえる」とおもしろい！

Takeo Samaki
編著　左巻健男

青春出版社

はじめに

本書は、たとえばオーロラ現象を蛍光灯のしくみという身近なもので説明してみようと挑戦したものです。

自然現象などを単にやさしく科学的に説明するというわけではありませんから簡単ではありません。何せ身近なものそれ自身が、実はいろいろな要素が複雑に絡み合っていて一筋縄ではいかないのです。

それでも「身近であること」は魅力的です。自然現象・科学現象などと身近なものの間の共通性に注目して、それらの関連性を示しながら説明すれば、自然現象・科学現象などと身近なものの両方に興味・関心が持てる可能性があると思いました。

そこで、ぼくが編集長を務める、大人の科学好きの雑誌である『RikaTan（理科の探検）』誌編集委員有志に協力してもらいました。

「たとえる」とおもしろい50のテーマを選定。自然現象・科学現象などと身近なものの組み合わせです。テーマ名を見てすぐに関連性を思いつけるものから、どんな関連性があるのだろうかと思えるものまでを選ぶことができました。ぼくたちの挑戦が結果として面白いものになっているかどうか、どうぞお楽しみください。

編著者　左巻 健男

C O N T E N T S

C O N T E N T S

3章
このたとえなら「生き物」のことがもっとよくわかる！

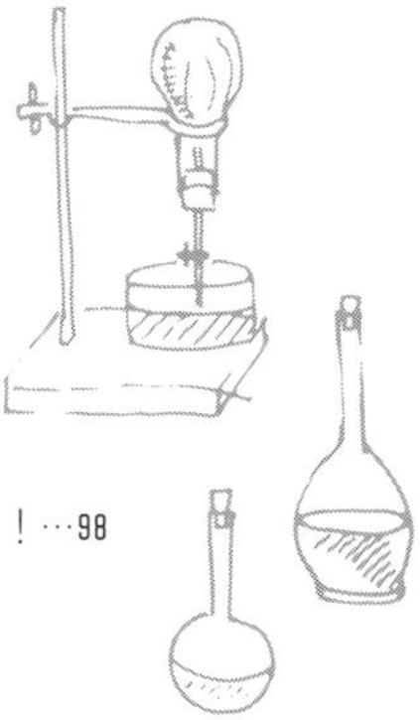

4章
理系で読み解く日用品の大疑問

C O N T E N T S

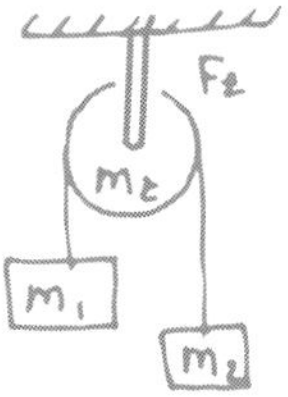

5章
「たとえ」があると科学はこんなにわかりやすい！

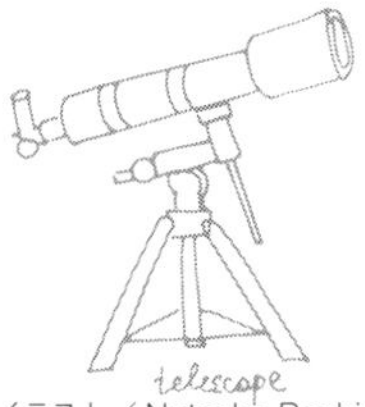

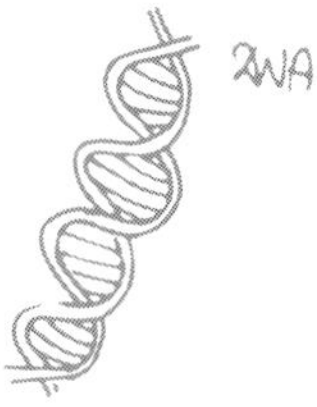

カバーイラスト／ Natasha Pankina ／ Shutterstock.com
best works ／ Shutterstock.com
イラスト／中村隆
本文デザイン・DTP ／遊歩工房

じつは
身近に観察できる
大自然の不思議

1
章

大自然の不思議
1

「地球の内部」のしくみは「ゆで卵」で説明できます！

地球の内部はゆで卵のよう！

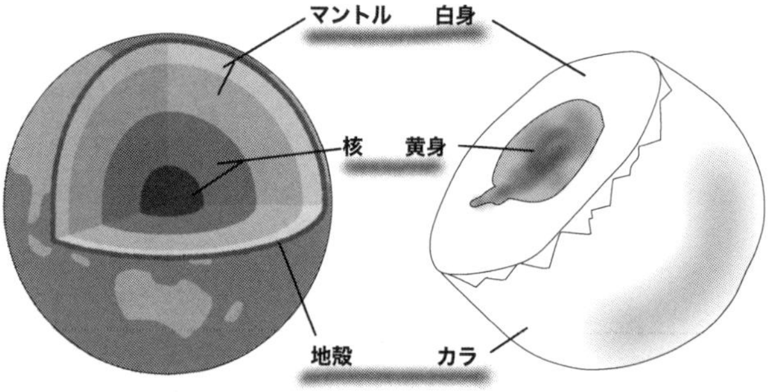

地球の内部をのぞいてみると…

地球は半径約6400 kmのとても大きな球ですが、この内部はどうなっているのでしょうか。

地球をゆで卵にたとえて考えていきましょう。というのも、現在、地球の内部はゆで卵のように層状になっていると考えられているからです。

「ゆで卵」は、中心に向かうにつれて表面のカラ、白身、黄身になっています。「地球」でカラは地殻、白身はマントル、黄身は核にあたります。白身はプルンプルンしていますが、地球のマントルも弾性（はずむ性質）があると考えられています。

ゆで卵といっても、固ゆで卵ではなく、半熟のゆで卵のほ

ゆで卵でいうと地殻だ、カラは！
近くだから？
ちがう！

うが地球に似ているかもしれません。半熟ゆで卵なので、黄身はどろどろ状態です。

ゆで卵と地球が違うのは、ゆで卵の黄身にあたる地球の核が内核と外核という２つの層に分かれていることです。地球では外核は液体なのに、地球の芯にあたる内核は固体のようなのです。

地球とゆで卵の違いは？

地殻は、岩石からできています。地球全体からみると非常に薄いものです。厚さは場所によって異なっています。

これは地球とゆで卵の違いです。卵のカラの厚さはどこでも同じようですが、地球の地殻の厚さは地球の至るところで違っています。大陸と海ではその差は10倍に達することがあります。大陸では厚く30～50 kmぐらい、海では薄く5～10 kmぐらいです。

マントルは、深さが2900 kmあたりまでのところです。地下100～200 kmの深さのマントルの上部で、主にマントルをつくっている岩石が融けてマグマができるところがあります。それが地表に向かって上昇し、いったんある深さでマグマだまりをつくります。このマグマが地表に噴き出す一連の現象が火山の噴火です。

核の温度は、4000℃を超える高温だと考えられています。深さ5100 kmより外側の外核とその内側の内核の２つに分かれています。外核も内核と同じくおもに鉄でできています。

地球内部を聴診する

地球の内部を調べるには、すぐに、地球の中心まで穴を掘ればよいと考えることでしょう。しかし､地面を掘っていくと、はじめは土であってもすぐに岩盤にぶつかり、簡単に掘り進めません。

その状況を変えたのは､地震波の記録を分析する科学者です。

夏になると八百屋さんに並ぶスイカを想い出してください。スイカの中身を切らずに調べるために表面をボンボンとたたき、その音を聴いてうまそうなスイカを判断することがよく行われます。地球は大変大きいので、人がボンボンとたたくくらいでは何の変化も示しません。人に代わってたたくもの、それが「地震」なのです。

地震波は、地球の内部をぬけて世界各地に伝わります。各地の地震計の記録を調べると、速くなったり、遅くなったり、時には曲がったりしていることがわかります。

最初に地震波から地球に核があると推定されたのは 1906 年のことです。アイルランドの地質学者のオールダムが、地震波のＰ波とＳ波を明確にし、地球の内部の通り抜け方から地球の中心に核が存在することを明らかにしました。その３年後、モホロビチッチは、地殻とその真下のマントルとの間にある境界を地震波から発見しました。

自然に起こる地震は、希望した時間に希望した場所では起こりません。そこで、人工的に地震を起こして地殻の厚さを調べようとすることも行われました。

マントルからやってきた岩石を調べる

マントルの上部に限っていえば、ダイヤモンドが形成されるキンバーライトパイプとよばれる鉱床のおかげで、物質について少しわかってきました。

キンバーライトは 200 ～ 300 km も下の非常に深いところで起こった大爆発により、地表に向けて超スピードで、マグマが上ってきたものです。キンバーライトを調べてマントルの深さ 300 km くらいまでかんらん岩でできていると考えられました。

また、地球深部の超高圧高温環境を実験室で再現して、そこで物質がどんな様子かを調べることもされています。

さらに期待されるのは 2005 年 7 月に完成した地球深部探査船「ちきゅう」です。今まで人類が到達できなかったマントルのサンプルを採取すること。これこそが「ちきゅう」が造られた最大の目標なのです！

聴診しますね
超信じらんない！
地震波で？！スゲー！

ここが一緒！

地球内部の「地殻ーマントルー核」は、おおまかにゆで卵の「カラー白身ー黄身」に対応しています。

大自然の
不思議

2

「氷河の動き」は「キャラメルの性質」で説明できます！

圧力によって「粘性」のある液体のようになって崩れる氷河

「粘性」の特徴をもつ

数百年の時を経てできる氷河

ヒョウが、ヒョウ…？
？
なんだ、それは……
イヤ……
氷河氷

地上に降り積もった雪（積雪）がしだいに厚くなって氷となり、重力によって流動するようになったものを「氷河」といいます。

降ったばかりの雪（新雪）は、結晶と結晶の間が空気で満たされていて、その密度は約 0.05 ～ 0.15 g/㎤です。積雪が厚くなると、上からの重みで空気が抜けていきます。

密度が約 0.83 g/㎤以上になると、結晶と結晶の間の空気はつながりを絶たれ、気泡になって閉じ込められます。

これを「氷河氷」といいます。

筆者は日本の南極基地から持ち帰った氷河氷のウイスキーオンザロックを飲んだことがありますが、氷が融けて気泡が弾けて出てくる音がしました。南極で新雪が氷河氷になるには数百年の時間がかかっています。

新雪が降り積もれば氷河氷はどんどん積み上がっていくはずですがそうはなりません。南極大陸のように全域の氷が融けない低温域では、氷河氷が海に流れ込んで氷河から分離して海に浮かぶ氷山になります。新しく雪が増える分と減っている分のバランスがとれているのです。

とすると、氷河氷は流動していることになります。まさに「氷の河」なのです。

固体の氷がなぜ流動するのか？

南極大陸のように1年中低温域で積雪の融解が起こらないところの氷河（寒冷氷河）が、なぜ動くのでしょうか？

これは「粘弾性による塑《そ》性変形」が原因と考えられています。

氷は圧力がかかると融ける性質があります。寒冷氷河でも氷河の底面には上からの重みで大きな圧力がかかるのですが低温下なので融けるまでにはなりません。

季節によっては積雪が融けるような温暖氷河では、氷河の底面が融けて底面に薄い水の膜ができます。温暖氷河が動くのは底面の水の膜の上をすべりやすいからです。寒冷氷河は1年に数 m ないし数十 m ですが、それよりも温暖氷河はずっと動くスピードが大きいです。

ここでは南極大陸のような寒冷氷河が流動する原因を見てみましょう。

固体は、力を加えると伸縮したり変形したりします。硬い岩石でも押せば（目に見えないくらいですが）縮みます。押すのを止めれば元に戻ります。このようなばねのような性質を弾性といいます。すべての固体は弾性を持っています。この時の変形が「弾性変形」です。

ばねでもある大きさ以上の力をかけると伸びきったまま元に戻らなくなります。この時の変形を「塑性変形」といいます。

飴玉やキャラメルは1日置いておいてもそのままです。

しかし何か月も置いておくと変形していたり表面がくっついたりします。この変形も塑性変形です。これは長い時間がたつと飴玉は蜂蜜やシロップのような粘り気のある（粘性を持つ）液体のような性質を持つからです。

実は物体は100％弾性を持っているのではなく、多かれ少なかれ粘性も持っています。氷河氷も短時間では固体の性質（弾性）を示

押すなよ
元に戻るけどね
グイッ
あ・・縮んだ
弾性

しますが、長い時間では粘性も示すのです。

固体に長い時間にわたって同じ方向に力を加え続けると、粘性のある液体のように変形するのです。短時間では粘性が見られないだけなのです。

地球内部のマントルでも…

押すなよ〜
ベタベタだ〜
グイ〜
粘性

地球は半径約 6400 km のとても大きな球です。地球内部は表面から「地殻－マントル－核」からなっています。

地殻は、岩石からできています。大陸では厚く 30 ～ 50 km ぐらい、海では薄く 5 ～ 10 km ぐらいです。

マントルは、地殻より深いところです。マントルも岩石からできています。場所によって温度差があり、温度の高いところでは地球内部から表面へ、岩石がゆっくりと動いています。また、温度のそれほど高くないところでは表面から地球内部へ、ゆっくりと動いています。

マントル内では、このようなマントル対流が存在していると考えられています。非常に長い時間スケール (たとえば数千万年) でみると、マントルは粘性流体のように振る舞っているということです。

ここが一緒！

南極大陸にあるような「氷河氷」と「キャラメルや飴玉」は固体だけど、長い時間では液体のような性質を持つことが一緒！

「いわし雲」のでき方は「味噌汁の味噌の動き」で説明できます！

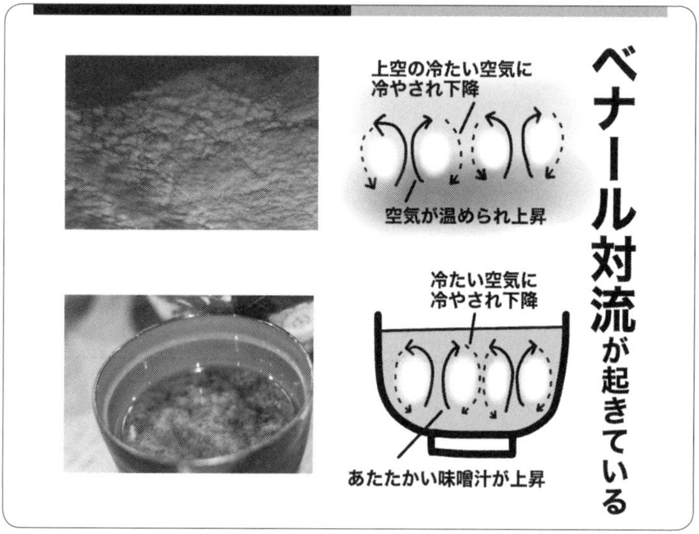
ベナール対流が起きている
上空の冷たい空気に
冷やされ下降
空気が温められ上昇
冷たい空気に
冷やされ下降
あたたかい味噌汁が上昇

味噌汁の中にいわし雲!?

秋の晴れた高い空には、まるでハチの巣のように白い雲がびっしりと並んで見えることがあります。湿度が低く、上空にさほど強い風もない秋の空で多く見ることができます。

ハチの巣のような雲は、いわし雲とも呼ばれ、小さな雲の集まりがいわしの群れのように見えるからです。さらに小さな雲の集まりになると、うろこ雲と呼ばれています。どちらも同じ「巻積雲」の仲間です。

このいわし雲ができる原理は、味噌汁の対流、つまり味

味噌汁
例えか…
リーズナブル♡

噌の動きと同じなのです。

では、できれば具の少ない味噌汁をつくり、お椀に注ぎじっと観察してみましょう。

表面がハチの巣のような模様になり、味噌と水の多い部分に分かれて模様ができます。さらにじっと観察していると、味噌は表面に浮いたり沈んだりしている様子がわかります。

さらに観察を深めると、味噌の部分では、真ん中からわき出ていることがわかり、網の目のような部分に沈み込んでいる現象が観察されます。

じつは、味噌汁を熱い状態でお椀に入れると、空気に触れる上の部分から冷やされます。すると、内部は暖かく上部が冷やされるので、温度差ができます。温まって軽くなった味噌汁は上昇し、表面に達したところで空気に接して冷やされたり蒸発して温度が下がり、下降するという動きを繰り返します。いたるところでこの現象が起きて、味噌がハチ巣状の模様になるのです。

このような対流を、「ベナール対流」と言います。この現象が空でも起きて、いわし雲やうろこ雲となるのです。

上空で何が起きている？

サワッディー
タイ流の渦

では上空ではどのようなことが起きているのでしょうか？　大気は地表から上空高いところまで、温度も風も一様ではありません。いわし雲やうろこ雲と呼ばれる巻積

雲ができる高度は､航空機の飛ぶ10 km前後の位置にできます。

温かい空気の塊は、ゆっくり上昇し温度が下がって水蒸気で満ちた状態（露点）に達したところで雲が発生します。しかし、さらに上空に冷たい空気が流れ込んでいると空気塊は上昇することができません。この時に、お椀の中の味噌汁と同様に、空気塊は上昇できず、上部が冷やされて下降することになります。上空のいたるところで上昇気流と下降気流が存在するために、小さな対流の渦ができます。上昇気流の部分では雲が発生し、下降気流の部分は温度が上昇するために雲が消えます。

このようにして、上空でベナール対流が発生し、うろこ雲になるのです。

いわし雲は、秋から冬によく見られます。夏は、太平洋高気圧の勢力が強いため、日本上空は常に太平洋起源の湿った空気が漂っています。また、太陽高度も高く、気温が上がります。その結果、強い上昇気流が生まれ、雨につながる厚い大きな雲になります。秋や冬は、太陽高度が低いため気温が上がらず、地表の熱に由来する上昇気流の量が少なくなります。さらに、大陸から移動してくる高気圧の影響が強く、上空に冷たい乾燥空気が入りやすくなり、巻積雲が発生しやすくなるのです。

ここが一緒！

「いわし雲」のでき方も「味噌汁の味噌」の動きも温度差による上昇と下降を繰り返す「ベナール対流」が起きていることが同じ！

「地球の歳差運動」は「コマの運動」で説明できます！

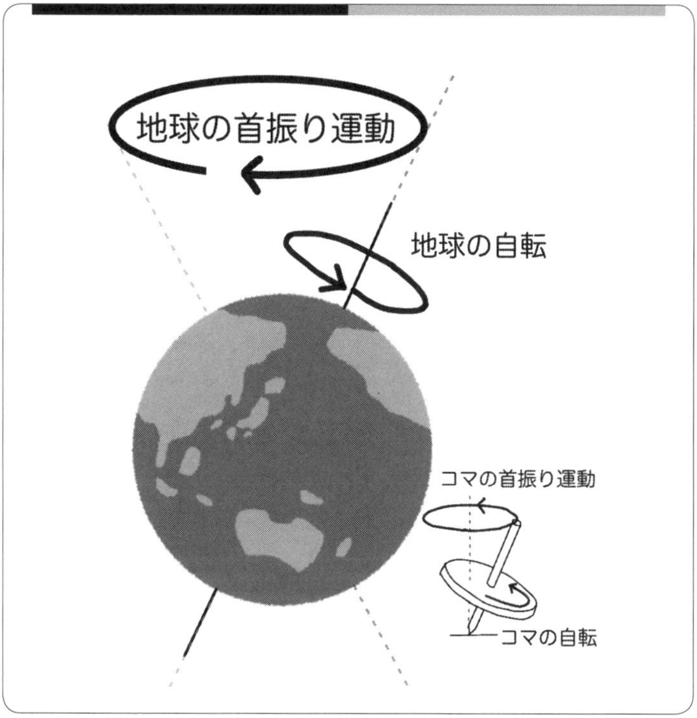

北極星が変わる!?

北極星は北を探す目印になる星です。現在の北極星はこぐま座のポラリスです。ポラリスは、地球の地軸のほぼ延長線上に輝いているため、地球が自転しても一晩中ほぼ同じ位置に見えています。しかも430光年ととても遠いところにあるので、地球が太陽の周りを公転してもその位置はほとんど変わりません。

ところが、地球の地軸は公転面に対して約23.4度傾いていて、約2万6000年の周期でゆっくりと回転しています。

この動きを「歳差運動」といいます。この地軸の動きのため、長い年月が経つと、地軸の延長線上にある星も変わります。ピラミッドがつくられた紀元前3000年のころは、りゅう座のトゥバンが北極星でした。今から1万2000年後には、夏の大三角を作ること座のベガの近くに地軸が向きます。ベガが北極星の役割を果たすことになるでしょう。

コマが倒れないワケ

コマったな〜
一緒にやろうよ〜
サイさん、運動好きだな〜
サイさん運動

止まったコマはすぐ倒れてしまいますが、勢いよく回るコマはなかなか倒れません。その理由を難しい物理用語を使わずにみてみましょう。

回転しているコマは、慣性の法則でいつまでも回り続けようとします。また、回転している物体に力が働くと、その力と直角な方向に力が働きます。

もし、コマの心棒（回転軸）が傾くと、倒そうとする重力に直角な方向に力が働くので、心棒はその傾きを保ったまま、ゆっくりとその頭を回す歳差運動をします。

さらに、心棒が接している面には摩擦力が働くので、心棒の傾きを戻す方向に力が働き、コマの歳差運動は小さくなっていきます。このようにして、コマは倒れることなく回転を続けます。

地球の歳差運動はコマの歳差運動に似ていますが、宇宙空間では摩擦力は働きません。また、回転（自転）する地球に働いている、太陽や月、惑星の引力は、傾いている地球の地軸を引き起こそうとする向きに働きます。回転軸を倒そうとするコマの重力とは反対向きに働くので、コマとは歳差運動の向きが反対になります。

縄文時代に北日本で南十字座が見えていた

EARTH
ちょっと横になりたいな〜…
SUN
地球を引き起こせ！
グイ
グイ
MOON

今の時代は、南十字座や太陽に一番近い恒星であるケンタウルス座のα星は、沖縄など南の地方にいかなければ見ることができません。しかし、地軸の向きが変わるということは、南の空に見える星座も変わります。

今から6000年ほど前の縄文時代には、北日本でも南十字座やケンタウルス座のα星を見ることができました。さらに、季節の星座も今とは違った星空を眺めていたことになります。

ここが一緒！

「地球」や「コマ」のように回転している物体に力が働くと、その力と直角な向きに力が働き、「歳差運動」が起きます。

大自然の不思議

5

「花火の色」は「吹きこぼれ味噌汁の炎の色」で説明できます！

花火と吹きこぼれ味噌汁の炎が黄色くなるしくみ

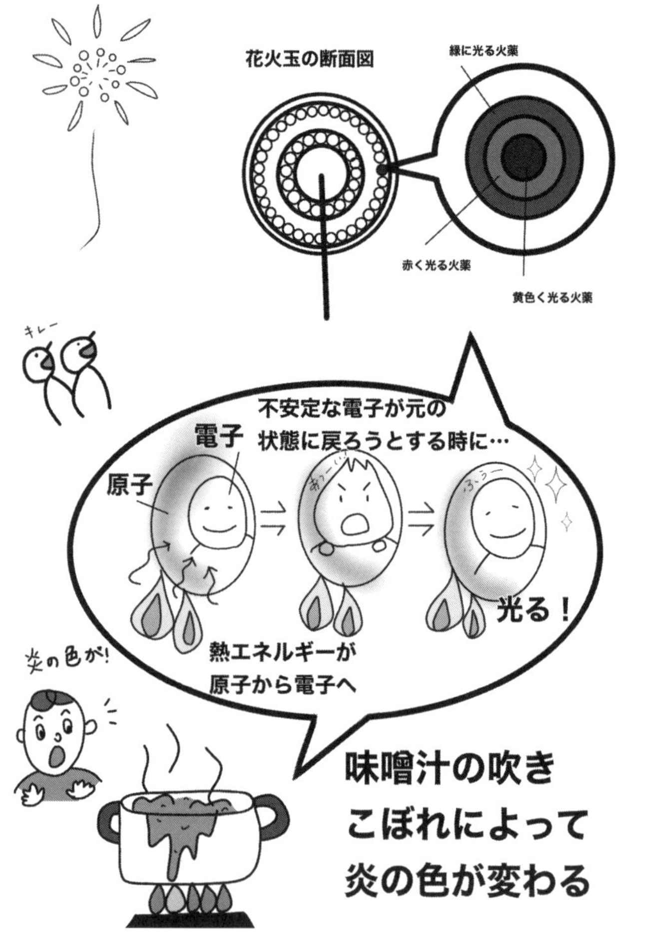
花火玉の断面図
緑に光る火薬
赤く光る火薬
黄色く光る火薬
キレー
不安定な電子が元の
状態に戻ろうとする時に…
電子
原子
光る！
熱エネルギーが
原子から電子へ
炎の色が!
味噌汁の吹き
こぼれによって
炎の色が変わる

花火はなぜ色とりどり？

夏の夜空を彩る花火。今では世界中で楽しまれていますが、発祥は中国です。９世紀ごろ黒色火薬が発明され、武器に用いられたほか、祭の時などにその爆発音を楽しんだようです。黒色火薬は、硝酸カリウム、硫黄、木炭の三成分を混合してつくります。花火には今でも黒色火薬が使われています。1543 年に鉄砲が種子島に伝来した時、一緒に黒色火薬が日本にもたらされました。

日本で花火が打ち上げられるようになったのは江戸時代です。当時の花火は現在のような色とりどりのものではなく、和火といわれる炎の色と硫黄を燃やした暗い青色だけでした。

現代の花火は、形はさまざまで色とりどりです。花火の鮮やかな色彩には元素の「炎色反応」が利用されています。

炎色反応とは、特定の金属元素を含む物質を高温で加熱すると、元素の種類によってさまざまな色の光を放つ現象です。

炎色反応マメチシキ

高校で化学を学んだ人なら「リヤカーなきK村　動力借りるとする　くれない　馬力にしよう」という語呂合わせを覚えているかも知れません。意味は「昔々あるところに、Kという名前の村があった。その村にはリヤカーがなかった。動力を借りるために隣村に頼みに行ったが、動力を貸してくれないので、馬の力を使おう」というもの。

この語呂合わせで、元素の炎色反応「リチウム (Li)：赤、ナトリウム (Na)：黄、カリウム (K)：赤紫、銅 (Cu)：青緑、カルシウム (Ca):橙、ストロンチウム (Sr:紅、バリウム (Ba)：黄緑色」を覚えやすくしようとしたものです。

うちの村、リヤカーないし…
フ〜…
よし！馬の力で
あ〜！
隣村から盗ってきたよ
イヒヒーン♡

花火の各種の色は、特定の化合物の粉末（いろいろなサイズ）を火薬に混ぜ、その炎色反応によってつくります。

赤はストロンチウム化合物（硝酸ストロンチウム、炭酸ストロンチウムなど）、緑色は硝酸バリウム、塩素酸バリウムなどでつくります。黄色はナトリウム化合物、青は主として銅の化合物（炭酸塩、硫酸塩など）でつくります。

赤、緑、黄、青以外の色は、いろいろな化合物を混ぜてつくります。たとえば、ストロンチウムと銅の化合物を混ぜて、紫色をつくるという具合です。こうしてきれいな紫の色が出せるようになってきました。

花火の白いピカピカする光は炎色反応を利用していません。これは主として、アルミニウム、マグネシウム、チタンなどの金属粉を使っています。これらの金属は花火に混ぜてある酸化剤と反応して激しく燃えて酸化物になる時に大量の熱を出します。この結果、これらの微粒子は大変高い温度（3000 度ぐらいまでといわれている）になり、白色の輝くような光を出すのです。

身近で炎色反応を見てみよう！

グツグツ
ジュ〜
味噌汁のオレンジ色の炎
演歌ナトリウム

味噌汁が吹きこぼれると、ガスコンロの炎がオレンジ色の炎になる現象が起こります。味噌汁には食塩（塩化ナトリウム）が含まれていますから、ナトリウムの炎色反応が見られるのです。

長さ 20 cm 程度の銅の針金（裸銅線）を用意し、先をペンチなどを用いてくるっと丸めておきます。ガスコンロに火をつけて、針金の先を炎に近づけて赤くなるまで熱します。コンロからはずし、食品保存用のラップ、あるいは消しゴムにジュッと押しつけます。再び、針金の先を炎に近づけます。ガスの炎とは違う緑色の炎を見ることができるはずです。加熱の際には、くれぐれも火災や火傷に注意してください。

熱せられた銅は、ラップや消しゴムに含まれる塩素と反応して塩化銅に変化します。針金の先にわずかに生じた塩化銅を炎に近づけることで、塩化銅に含まれる銅が炎色反応を示します。

なぜ炎に色がつくのでしょうか。

炎色反応を示す金属元素の原子は、熱エネルギーを与えられると、そのエネルギーは原子の中にある電子に伝わり、勢いがついた電子はエネルギー状態が高くなります。その不安定な状態から元の状態に戻る時に光を発するのです。この光の波長は、金属の種類ごとに異なるため、花火のように色とりどりの炎をつくり出すことができるのです。

ここが一緒！

花火と味噌汁が吹きこぼれた時の炎は、金属原子による「炎色反応」によって、炎の色が変わることが一緒！

大自然の
不思議
6

「雷」は「冬にドアノブのバチッ（静電気）」で説明できます!

雷のでき方

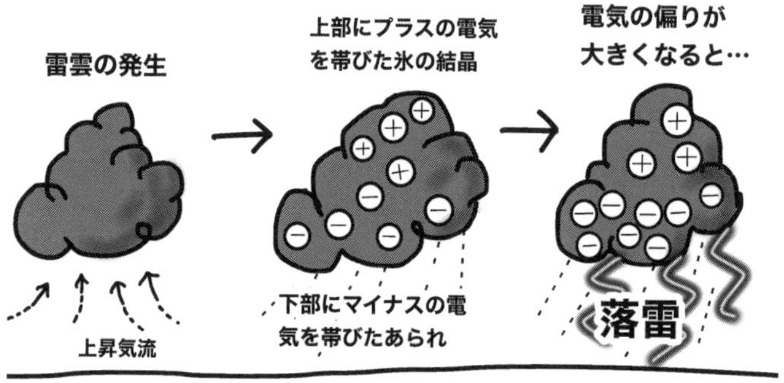

静電気のしくみ

冬にも雷が落ちる!?

日本で雷が多く見られるのは夏で、1年間に観測される雷のほぼ半分が6月から8月に集中しています。

雷は暑い夏の晴れた日の午後、地面近くで温められた空気が上昇気流となり、積乱雲（入道雲）になり発生します。

日本海側（特に秋田県から鳥取県）では11～3月頃に冬季雷とよばれる雷が発生します。冬季雷は夏季雷よりも落雷数は少ないのですが、エネルギーが100倍以上に達することもあるほど、強力だといわれています。なお、冬季雷は世界的にも珍しく、ノルウェーの大西洋岸と日本の日本海沿岸に限られています。

おーい、カミナリさま
これからは、火花放電さまって呼んで

雷はどうして起こる？

雲の内部では凍りついた小さな氷の結晶（氷晶）や、それらが集まったあられが電気を帯びることによって、静電気がたまっていきます。氷の結晶はプラスの電気を帯びて積乱雲の上部に、あられはマイナスの電気を帯びて多くが氷の結晶よりも下側に分布しています。

この電気のかたよりが大きくなった時、かたよりを解消するために雲と雲の間、または、雲と地面との間に空気中を電気が流れます（雷放電）。この放電の時に激しい稲妻が見られ、地面を揺さぶるような雷鳴が聞こえるのです。このうち、雲と地面との間の火花放電が落雷です。

雷マメチシキ

もしも、落雷があると災害が発生し、人命も危険にさらされます。落雷の危険から身を守るポイントをあげておきましょう。

①建物の中に避難する。鉄筋コンクリート建築、木造建築、自動車（オープンカーは不可）、バス、列車などは比較的安全。

②電柱、煙突、鉄塔、建築物などの高い物体のてっぺんを45度以上の角度で見上げる範囲で、その物体から4 m以上離れたところ（保護範囲）に避難する。

③高い樹木の幹、枝、葉から最低2 m以上離れる。

④できるだけ低いところに移動し、姿勢も低くする。

冬は静電気を感じる季節

そんな放電は身近にも起きます。空気が乾燥しやすい冬。ドアノブなどにふれようとすると、指先にバチッとしびれるショックを受けることも多くなります。しくみを見ていきましょう。

帯電した物は、金属や水（イオンを含む）、空気中の湿気など電気が流れる物があると、どんどん放電していきます。しかし、プラスチック、吸湿性の少ない繊維など電気が流れにくい物（絶縁体）ではそうはいきません。電気がたまるだけで動きません。乾燥して、物の表面の水がなくなると、放電が起こりにくくなり、静電気がたまりやすいのです。

そんな乾燥した状態の時に人が床の上を歩くと、大地を0ボトルとした場合、床と靴底の摩擦で人には2万ボルトもの静電気が起きたりしています。

ドアのノブはドアにつながり、さらに金属や木などにつながり、大地に接地していることがほとんどです。静電気から見ると金属だけではなく、木やコンクリートの壁も絶縁体ではありません。ですから、ノブは０ボルトです。そこへ、２万ボルトの静電気を帯びた人がノブに近づくのですから“バチッ”と放電が起こります。落雷と同じように、電気のかたよりを解消しようとしているわけです。

パチッ
うわっ！
0ボルト
2万ボルト帯電中
お
『放《ほう》デン物語』
(0と2万の出会い♡)

バチっとならないためにできること

ドアのノブでの対策のひとつは、金属製の鍵やボールペンなどをもった状態で、ノブにふれることです。ふつうにノブに手を近づけると、放電による火花の電流がとても狭い一箇所に集中して流れ、神経が敏感に反応します。

そこで、金属片をまずふれさせると、金属片を握っている手全体に電流が分散するので、神経への刺激は少ないのです。握ってグー状態や手のひら全体でノブに近づけるという方法もあります。

他の対策もあります。ノブをさわる前に、木やコンクリートの壁に手をタッチしておくのです。壁は大地に接地していますから、人にたまった静電気を逃がしておけるのです。近くにそんな壁がない場合は、ドアの本体にタッチしてもいいでしょう。

ここが一緒！

「落雷」も、「冬、人がバチッと放電」するのも、たまった静電気のプラス電気とマイナス電気のかたよりを解消するために起こります。

「海水の塩分」は「夏ミカンに重曹」で説明できます！

原始地球は雨と岩石が中和して海となった

夏みかんがすっぱくないわけ

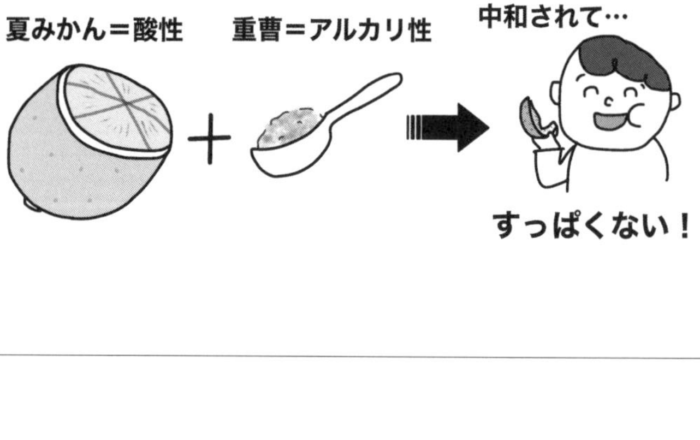

海は偉大な溶液

宇宙から見た地球は、青い海と白い雲につつまれ、美しく輝いています。地球の表面積の約70%が海だからです。海とは陸地以外で塩水を満たす部分です。太陽の惑星で、地球以外に表面が多量の液体の水でおおわれているものはありません。

地球上における海の表面積は、およそ3億6000万 km^2 強あります。しかも、海の平均水深は約3700 m、つまり富士山を逆さまにしたくらいの深さです。すると、海水の体積は、3億6000万 km^2 × 3.7 km=13億3200万 km^3 になります。

地球上にある水の量は、全部でおよそ14億 km^3 と言われていますが、そのうちのほとんどが海にあるのです。

海水にはいろいろな物質が溶けこんでいます。

ふつうの海水は、1 Lあたり32 ~ 38 gのいろいろな物質が溶けこんでいて、約78%が塩化ナトリウム（食塩の主成分）です。だから、海水は塩辛いのです。

次に多いのが約11%の塩化マグネシウムです。

もし、海水を全部蒸発させると厚さ数10 mの塩が海底をおおう計算となります。質量パーセントで約3.5%が海に溶けていますので、溶けている塩分は莫大な量になります。

海水ぜんぶ
蒸発したら....
塩が。。。
10メートルの厚さで
海底おおう
そんなことになったら、どう塩〜〜!

地球には天然に存在する元素（原子の種類）が90種類あまりありますが、そのほとんどが微量成分も含めると海水に含まれています。

さらに海水には塩分のほかに、大気の成

分である酸素、窒素、二酸化炭素、アルゴンなどが溶けています。溶けている気体のうち酸素は、海洋生物の呼吸に使われたりしています。二酸化炭素は、植物プランクトンが光合成によって有機物をつくる材料になっています。

海水マメチシキ

次の表は海水に含まれる主なイオンです。

海水	濃度（g/kg）
塩化物イオン	19.350
ナトリウムイオン	10.760
硫酸イオン	2.712
マグネシウムイオン	1.294
カルシウムイオン	0.412
カリウムイオン	0.399
炭酸水素イオン	0.145
臭化物イオン	0.067

塩化物イオン
ナトリウムイオン
硫酸イオン
なんかいっぱいイオン…
なにさわってんだあのタコ！
オッ！
いかすイオンの子…

海水の塩分はどこからきたか？

原始太陽系では、無数の微惑星が漂い、それらが衝突をくり返していました。中には衝突によって合体して大きなものが成長し始めました。それが地球や他の惑星の祖先です。地球の元になった微惑星には多量の水が含まれていました。しかも幸運なことにこの水は、現在まで保持されています。

原始地球の成長につれて、主に水蒸気や二酸化炭素の原始大気の温室効果で熱が逃げにくく、微惑星が持っていたエネルギーで地表はどんどん熱くなり、ついには地球は融けてしまい、“火の玉地球”になりました。地表はどろどろに融けた溶岩（マグマ）におおわれていたので、この状態をマグマの海、「マグマ・オーシャン」といい、原始地球が現在の大きさに成長するまで続きました。

衝突する微惑星が少なくなると、地表で解放されるエネルギーが小さくなり、地表、大気の温度が下がっていきました。ついには、ある瞬間、大気にあった水蒸気は雨となって降り始め、原始の海ができたと考えられています。

この時、窒素、二酸化炭素、水、塩化水素、硫黄などの揮発性成分は、気化し、大気や海水の成分となりました。塩化水素は水に溶けると塩酸になります。雨に含まれた塩酸は、岩石とふれると中和を起こして、ナトリウムなど陽イオン成分を溶かしました。岩石からのナトリウムやマグネシウムなどと塩酸からの塩素が結びついて、いろいろな塩類ができました。

こうして、海は塩化ナトリウムや塩化マグネシウムなどの溶液になったと考えられています。

塩酸と岩石成分との中和は、酸っぱい夏ミカンに重曹（炭酸水素ナトリウム）をつけると酸っぱさが弱まる中和が起こるのと基本的に同じです。

チュ
中和～♡
夏ミカンのチューは、
酸っぱい♡

ここが一緒！

海水に含まれる塩類は酸っぱい雨と岩石成分が中和してできた水溶性の塩類でした。この中和は酸っぱい夏ミカンに重曹をつけたら酸っぱさが弱まる「酸とアルカリが中和する」のと同じ！

「火山の噴火」は「炭酸飲料が噴き出す」しくみで説明できます！

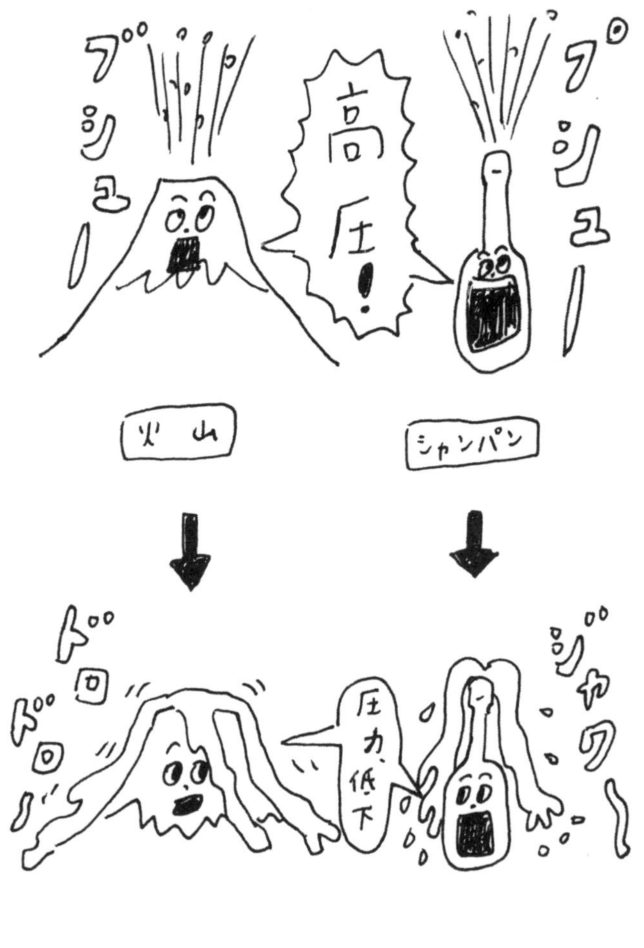

火山大国「日本」

日本は火山が多い国として知られていますが、本当でしょうか？

活火山の数を国別ランキングにしてみると、１位のアメリカが約 180、２位のロシアが約 150、３位のインドネシアが約 140 で、日本は 111 で第４位。狭い国土の中にそれだけ存在するのですから、その密集度は大変です。活火山は世界に約 1500 あるとされるので、国土が全世界の 0.25％しかない日本には４つあれば十分。そこに 111 もあるのですから、世界の平均値の 30 倍も存在していることになります。まさに日本は火山大国なのです。

さて、火山といえば噴火です。大きな噴石を遠くまで噴き飛ばしたり、噴煙を 15000 m 以上の成層圏まで噴き上げたりと、そのパワーは計り知れません。噴火のパワーの源はいったい何でしょう？

噴火の原理

もう はっぽう ふさがりだ！
噴火 するしか ない!!
ベチャ
コンカー！
マグマ
発泡
ふさがり

炭酸ガス(二酸化炭素)は圧力が高いほど液体にたくさん溶ける性質があり、それを利用して飲料にムリヤリ大量の炭酸ガスを溶け込ませたものが炭酸飲料です。そのため開封すると圧力が下がり、ゆっくりと気化(発泡)が進みます。

この炭酸飲料を振ってから開封すると、中身が勢いよく噴き出すことがあります。

容器を振って中身を刺激すると気化が促進され、その状態で開封すると飲料の中で一気に気化が進んで体積が増し、出口を求めて飲料もろとも口から噴き出すからです。

実は地下深くの高圧条件下にあるマグマにも水蒸気や炭酸ガスなどのガス成分が大量に溶け込んでいます。このマグマが地表付近まで上昇してくると圧力が低下するので気化が一気に進んで体積が増し、出口を求めて岩盤の弱いところを破壊して地表に噴き出すのが「噴火」です。ですから火山の噴火は何かが爆発しているのではなく、地下から天然のシャンパンシャワーが噴き出しているようなものなのです。

そう考えると火山の噴火について理解できることがいくつもあります。たとえば、火山は最初に上空高くまで噴煙を噴き上げるような爆発的な噴火を起こし、その後、火口から溶岩流があふれ出すような噴火に切り替わることが多いです。

これは炭酸飲料の噴き出しでも同じような現象が見られ、最初に中身を高くまで噴き上げ、そのあと口から泡とともに飲料があふれ出てきます。これはどちらも、最初は液体中で一気に気化が進んだことで高圧になった中身が高くまで噴き上がり、ガスがある程度抜けると圧力が低下し、液体成分が残りのガスと絡んでゆっくりと出てくるのです。

また、発泡したマグマが空中に噴き出してそのまま冷え固まったものが軽石です。マグマの中で発泡が起きているようすがよくわかりますね。

ここが一緒！

「火山が噴火」するのも「炭酸飲料が噴き出す」のも、「液体中のガス成分が気化（発泡）する」ことが原因です。

「オーロラ」の原理は「蛍光灯」のしくみで説明できます！

オーロラが光るしくみ

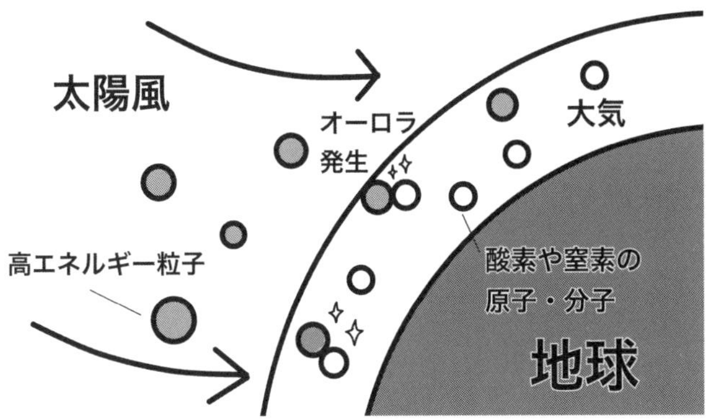

蛍光灯が光るしくみ

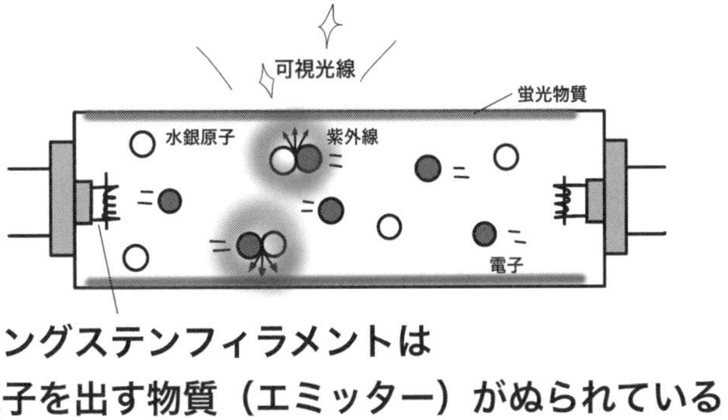

蛍光灯が光るしくみ

筆者はカナダのイエローナイフという高緯度の都市にオーロラを見に行ったことがあります。ゆらゆらと光のカーテンのようにはためいたり、渦巻いたりするなど、オーロラのさまざまな姿を一生に一度は見たいと思ったのです。

－35℃の寒空の中、オーロラを楽しむことができました。

オーロラは太陽の活動が活発な時に見られやすいのですが、「オーロラ」が光るしくみと「蛍光灯」が光るしくみは同じなのです。

では、蛍光灯の光るしくみを見てみましょう。

スイッチを入れると「蛍光灯」の内部では…

蛍光灯は円筒形のガラス管で、両端に電極がついています。電極はタングステンフィラメントで、エミッターという物質がぬられています。タングステンは白熱電球のフィラメントにも使われる高温になっても融けにくい金属です。エミッターは電子放射物質です。

ガラス管の中には、アルゴンなどの貴ガスと蒸気になったわずかな水銀が入れてあります。

ガラス管の内壁には蛍光物質がぬられています。

スイッチを入れると、電極に高い電圧がかかり、電極のエミッターから電子が飛び出します。この電子は「熱電子」と言います。この熱電子が、ばらばらになって管内を飛びかっている水銀原子に高速でぶつかります。するとぶつかったところから紫外線が飛び出します。

紫外線は人が見える光（可視光線）より波長が短く、エネルギーが強く、目に見えない光です。紫外線で日焼けしますね。

この目に見えない紫外線が管の内壁に塗られている蛍光物質にぶつかると、可視光線になって蛍光管の外側に放射されます。これが蛍光灯が光るしくみです。

蛍光灯
の中
紫外線
強いな〜

オーロラの光るしくみ

このことがオーロラの光るしくみと同じとはどういうことでしょうか。

それは水銀原子に熱電子がぶつかると紫外線を出すところです。

蛍光灯内の水銀原子は安定なエネルギー状態（基底状態）にあるところにぶつかった電子からエネルギーをもらって高いエネルギー状態（励起状態）になります。

すると、不安定な励起状態から安定な基底状態に戻るのですが、その時に電子からもらったエネルギーぶんを紫外線という光のエネルギーで外に出すのです。

オーロラでは太陽からの高エネルギー粒子（電子や陽子）が地球の大気にぶつかると大気中の酸素や窒素の原子・分子が励起状態になります。それが基底状態に戻る時に緑や赤の光を出すのです。

オーロラが極地で見られるワケ

では、なぜオーロラは極地方で見られるのでしょうか。

地球は巨大な磁石です。北極近くには北磁極（磁石のＳ極）があり、南極地殻には南磁極（磁石のＮ極）があります。そのため地球のまわりに磁気圏があります。

太陽風からやってきた電気を帯びた電子や陽子が、地球の磁気圏に入ると磁気圏に加速され、地球の大気にぶつかる場所ができます。その場所が極地方の決まった場所なのです。

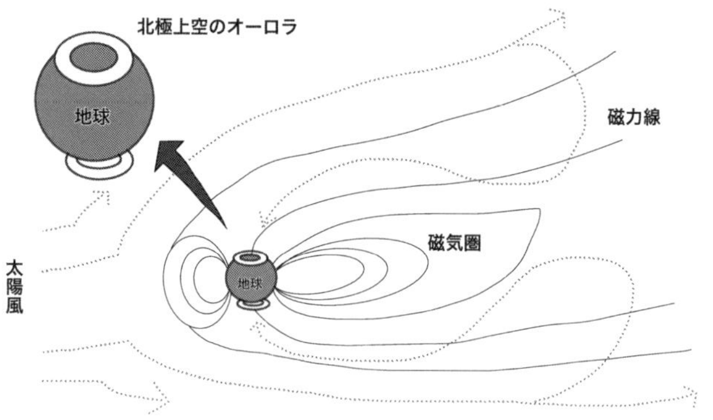

オーロラが見られるオーロラ帯は、宇宙から見るとドーナツ状になっています。オーロラが発光する高さは100～400 km程度で、流星の光る高さ（約100 km）から国際宇宙ステーションの高さ（約400 km）に近いです。国際宇宙ステーションからは、すぐ下にオーロラが見られるとのことです。

オーロラ帯の下に見に行ってもオーロラが見られないことがあります。

オーロラが見やすいかどうかは太陽の活動に大きな関係があります。太陽フレア、コロナの地球の磁気圏への衝突、コロナホールができることです。とくにコロナホールは黒点の周期（約 11 年）の後半に同じ場所で数か月間続くので、オーロラツアーを行う旅行会社はその期間を「オーロラの最盛期」としています。

夏にあまり見えず冬に見えるのは気温の関係ではなく、冬には極夜や白夜で空が暗くなるし、快晴時には放射冷却で空がくっきりしているからです。

オーロラの色は、酸素原子の発光では緑白色（100 ～ 200 km 付近）と濃赤色（200 km 以上）の発光色が多く見られます。高さ 100 km 付近には窒素分子が出すピンク色がまれに出現します。透明な空気が光っているので、それぞれの色が重なりあって、黄色や橙色が見られることもあります。

ドーン!
ぶつかり合う
高エネルギー原子
ピカピカ
キラーキーラ
は～
落ち着いた

ここが一緒!

「オーロラ」も「蛍光灯」も、原子がぶつかることで不安定になったものが「安定した状態に戻る時に光を発する」ことが同じ！

大自然の
不思議

10

「日本列島」が成長したしくみは「お好み焼きのヘラについたカス」で説明できます！

日本列島はプレートの動きでできた

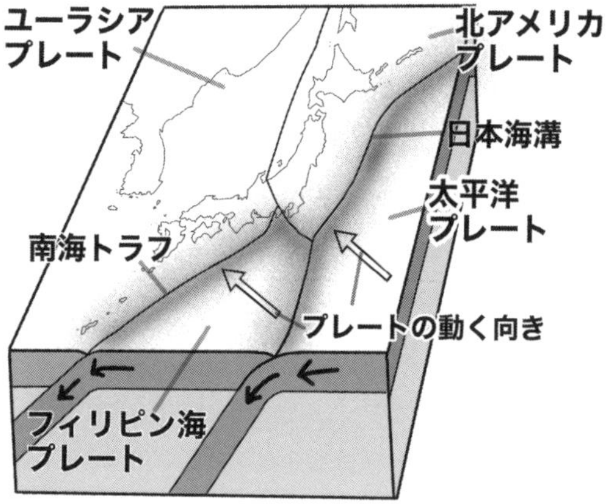

日本列島の構造

東北日本は北アメリカプレートの上にあり、東からせまる太平洋プレートが列島の下に沈み込んでいます。一方、西南日本はユーラシアプレート

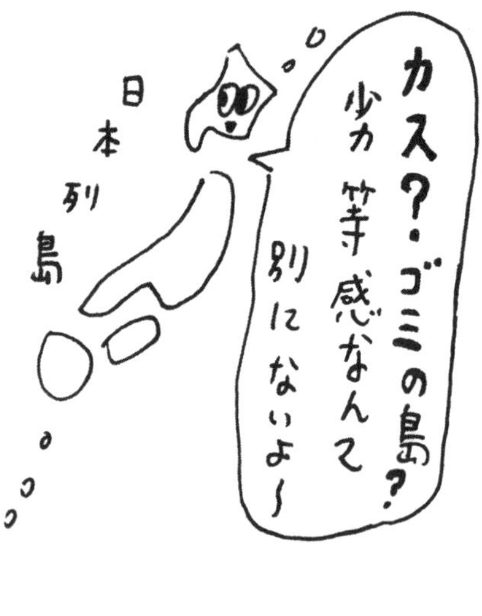

の上にあり、南東からせまるフィリピン海プレートが列島の下に沈み込んでいます。そして沈み込む現場は深い溝状になっており、それぞれ日本海溝、南海トラフと呼ばれています。こうした構造は地震の震源分布などから予想されていましたが、最近は人工地震による反射法探査などを使うことにより、地下構造がはっきり見えるようになりました。

するとと海溝やトラフなどの沈み込みの現場に、何か異質な物が挟まっていることがわかりました。これは一体何なのでしょう？

※水深 6000 m より深い溝を海溝、それより浅い溝はトラフとよばれています。

日本列島はゴミの島 !?

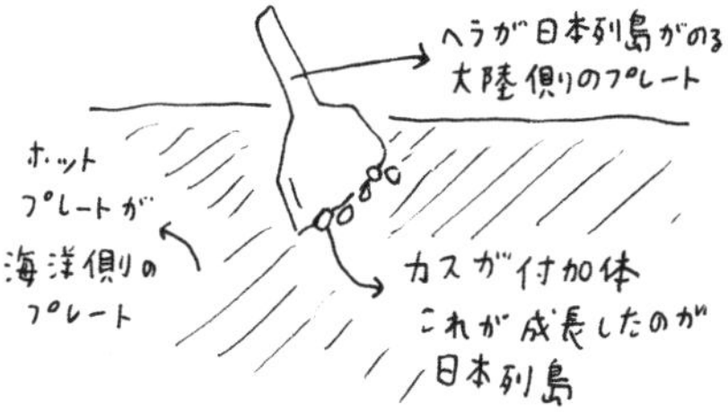
ヘラが日本列島がのる
大陸側のプレート
ホット
プレートが
海洋側の
プレート
カスが付加体
これが成長したのが
日本列島

ホットプレートでお好み焼きを焼くシーンを思い浮かべて下さい。お好み焼きを焼いたあとにはホットプレート上にカスが残りますが、次を焼く前にヘラで擦り落としますね。この時ふつうはヘラを動かすことでカスを集めます。でもそれを反対に、ヘラを固定してホットプレートを動かしてみたらどうでしょう。とんでもなく面倒くさいやり方ですが、それでもヘラの先端にカスは集まるでしょう。実は日本列島でも同じことが起こっています。

太平洋プレートやフィリピン海プレートなどの海洋側のプレートは、太平洋の東の海嶺で誕生してから海溝などに沈み込むまで、非常に長い時間を要します。特に太平洋プレートは海嶺から日本海溝に達するまでおよそ 2 億年もかかっています。
海洋側のプレートの上には、こうした長い時間の間に海中のプランクトンなどの死骸が堆積物として分厚く堆積し、その多くは堆積岩として固まっています。
これらの堆積物や堆積岩をのせた海洋側のプレートが海溝に達して大陸側のプレートの下に沈み込むと、堆積物や堆積岩は剥ぎ取られ、しわくちゃに折り畳まれたりズタズタに切り刻まれたりしながら大陸側プレートに付け加わっていきます。
こうした場所を「付加体」といい、日本の地質構造をよく見ると、海溝やトラフから大陸側に向かうにつれて古い付加体が順に並んでいるようすがよくわかります。つまり、日本列島は海洋プレートの上に溜まったゴミ（堆積物）が海溝で削り落とされ、大陸側のプレートに付加して成長した列島なのです。
先ほどのたとえに照らすと、ホットプレートが海洋側のプレート、ヘラが日本列島がのる大陸側のプレート、ヘラの先端に集まったカスが付加体です。付加体、つまりヘラの先端に集まったカスが成長してできた島が日本列島。言ってみれば日本列島は“ゴミの島”なのです。

列島や山脈に多い“ゴミの島”！

私たちの住む大地が太平洋に溜まったゴミの島なんて…。でも落ち込まないでください。
付加体からなる土地は日本列島だけでなく世界のあちこちにも見られます。それは日本と同じようにプレートが衝

それはお持ち帰り
不可たい!
お土産に♡
『ここが付加体の証拠』

突して沈み込む場所で、付加体が海底から積みあがれば「列島」に、大陸の上に積みあがれば「大山脈」になっています。アリューシャン列島や南西諸島、ヒマラヤ山脈やアンデス山脈、ヨーロッパのアルプス山脈などがその代表例です。

かつてはヒマラヤやアルプスなどの標高の高い山脈からアンモナイトなどの古代の海洋生物の化石が豊富に産出することが謎とされてきましたが、そこが付加体であるならば何ら不思議で無いことがわかるでしょう。

ここが一緒!

日本列島の成長のカギを握る「付加体」も、「お好み焼きのヘラに付いたカス」も、プレート上の「カスが剥ぎ取られて溜まったもの」です。

2章

最新科学のカラクリは単純だった！

最新科学のカラクリ 1

「発熱繊維」のしくみは「水蒸気が露になること」で説明できます！

発熱繊維のしくみ

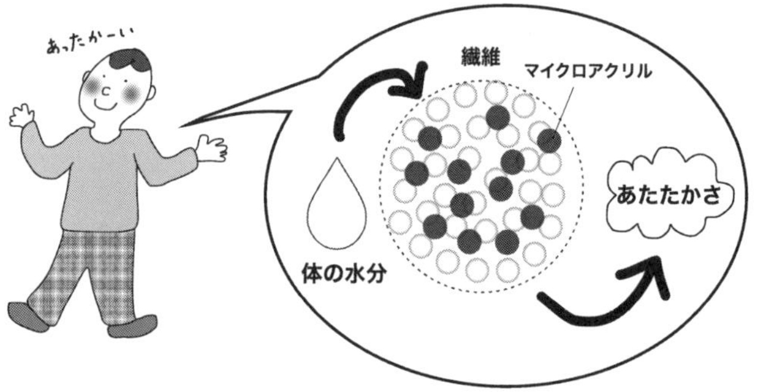

「液体⇄気体」と熱の関係

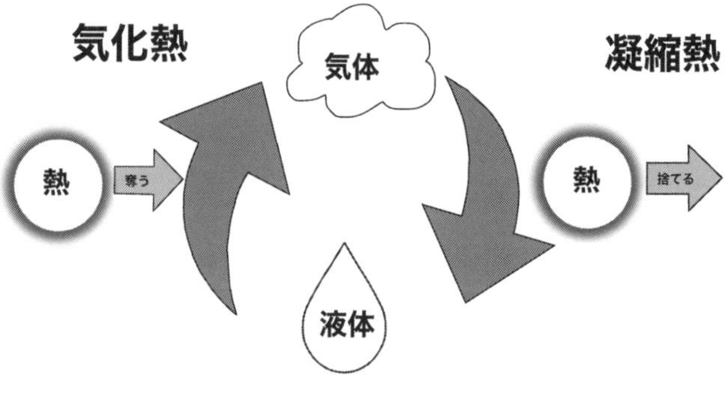

水には３つの状態がある

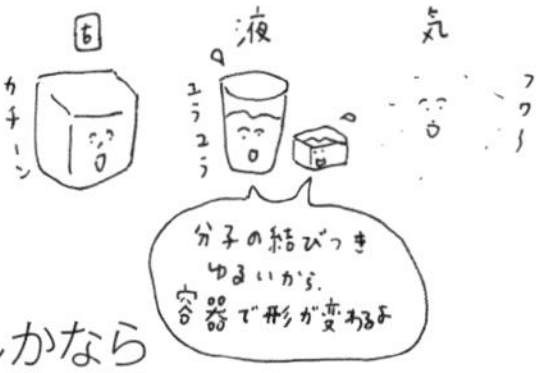

物質は約1億倍にしても1 cm程度にしかならない非常に小さい原子や分子がたくさん集まってできています。

水なら「氷、水、水蒸気」という、固体、液体、気体という３つの状態があります。３つの状態の違いは水分子の集まり方の違いによるものです。

固体や液体は水分子がお互いにくっつき合って集まっています。分子１個はとても小さいので目に見えませんが、莫大な数の分子がくっつき合う、つまり固体や液体になると、私たちにその姿が見えるようになるのです。

私たちのまわりの空気の気体の分子は、ばらばらで、１秒間に数百 mというものすごいスピードで自由に飛んでいます。

液体の分子は、分子どうしがお互いに引き合っています。この点では、固体に近いのですが、気体に似ている面もあります。それは容器によって形が変わるという性質です。容器から出すと、固体はそのままの形で出てきますが、液体の場合、流れてしまいます。

これは、液体の分子は、お互いにくっつき合っている、引き合っているけれども、決まった場所から動けない固体の分子と違って、あちこちに動けることが原因です。液体の分子の結びつきは固体の分子の結びつきよりゆるく、お互いに場所を入れかえることができるゆとりが少しはあるのです。

水の変化に重要な“熱”

液体の水を加熱する（外からエネルギーを加える）と水蒸

気になります。つまり次のようになります。

☆
水　＋　☆熱☆　→　水蒸気
☆

この時の熱が気化熱。水は気化熱をまわりから奪って水蒸気になります。逆に水蒸気が水になる（水蒸気が露になる）と次のようになります。

☆
水蒸気　→　水　＋　☆熱☆
☆

一個一個の水分子がばらばらびゅんびゅんしていた水蒸気が凝縮して露（液体の水）になるとまわりに熱を放出します。つまりまわりの温度を上げるのです。この時の熱は凝縮熱です。

「ヒートテック」はなぜ暖かい？

古くから、羊毛（ウール）の繊維は、人体から出ている水蒸気を吸収して水にする能力が高く、その時の凝縮熱で温かくなる性質がありました。しかし、羊毛は「高価格・モコモコしてしまう・家庭で洗濯できない」という難点がありました。

そこで、羊毛などよりも繊維を細くし全体の表面積を増やすことで水分を多く含むようにした合成繊維が開発されました。

これが「吸湿発熱素材」です。

日本では、2003年にユニクロが「ヒートテック」を発売し、定番商品となりました。化繊メーカーでは、水分吸収率が低い化繊にいかに多くの水蒸気を捉えさせるかでしのぎを削っています。

なお、吸湿発熱素材でも、水分が飽和すればむれるし、冷えてしまいます。

保温性のカギは“空気”

あ〜保湿性
ほし〜
…カラカラだよ

吸湿発熱素材を活かすためには保温性が重要です。保温性には空気が大いに関係しています。

ウールのセーターを例にとると、網目が粗いため通気性がよくてスースーするように思いますが、ウールは熱伝導率が低いために冷やされにくく、細かいケバが空気を留めるために網目にある空気が移動しにくく体温を保持する効果が高いです。このため、体温によって温められた網目の空気が体をおおい、外気をさえぎってくれます。

水鳥の羽毛は、細い繊維どうしの隙間に空気を多く含みます。羽毛からなるダウンジャケットなどは、布地に含まれる空気の割合が98%以上の素材で羽毛を包んでいるので断熱保温性に優れています。

コットン（綿）は、繊維の内部が中空構造であるため、そこに大量の空気をためやすく保温性にも優れています。

ヒートテックでは、レーヨンの外側に極細に加工されたアクリル（マイクロアクリル）を配しています。これを使うことで、繊維と繊維の間にできるエアポケット（空気の層）が大きくなるようにしています。

ここが一緒！

ヒートテックなどの「吸湿発熱素材」は、「水蒸気」が水になる時にまわりに放出する「凝縮熱」を利用しています。

「IH 調理器」の原理は「電力量計」のしくみで説明できます!

IH 調理器の発熱のしくみ

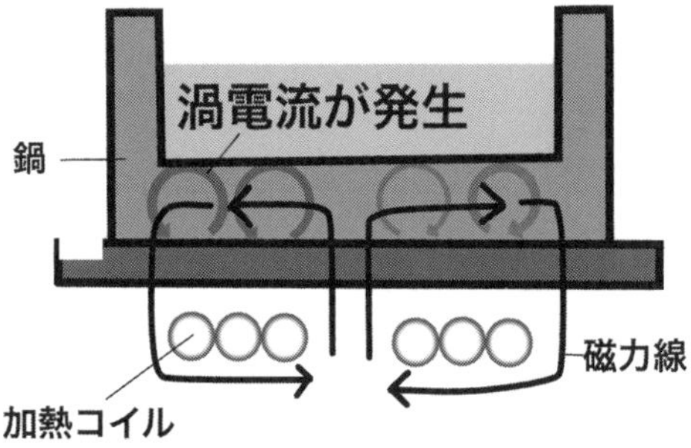

金属の電気抵抗で発熱する

円板タイプの積算電力計のしくみ

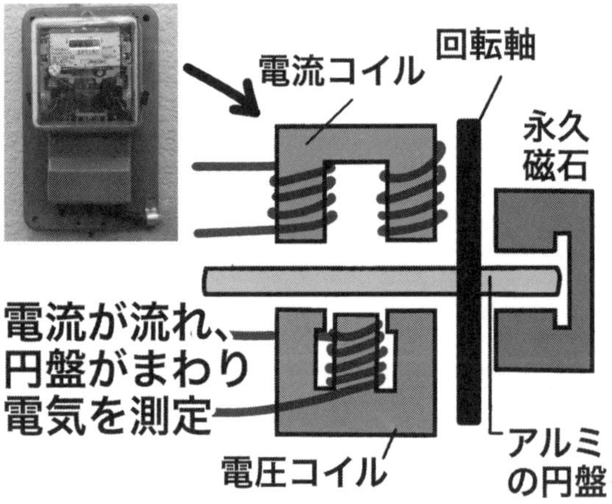

IH 調理器（電磁調理器）のしくみ

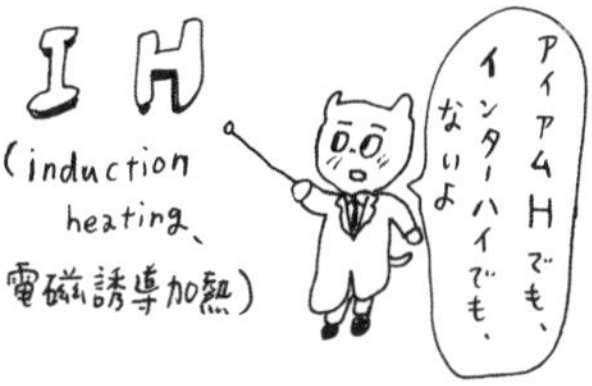
IH
(induction heating、電磁誘導加熱)
アイアムHでも、インターハイでも、ないよ

「IH」とは、induction heating、つまり、電磁誘導加熱という意味です。IH 調理器は直接鍋が発熱するので、ガスコンロや電熱線を使った電気コンロに比べ発生した熱を効率よく使うことができます。

なぜ、直接鍋が発熱するのでしょうか。

IH 調理器の天板の下には加熱コイルがあります。このコイルに交流電流を流すと、天板に置かれた鍋に渦電流が発生します。金属に電流が流れると、金属の電気抵抗で熱が発生します。これが、鍋が発熱するしくみです。

電気の使用量はどう測る？

こっちに来イル！
S
N
磁
えー

コイルに磁石を近づけたり遠ざけたりするとコイルに電流が流れます。この現象を電磁誘導といいます。銅板はコイルではありませんが、銅板のそばで磁石を動かすと、銅板に円を描くように電流が流れます。渦電流はこの円状の電流です。

電気料金を調べるための電力量計はデジタル式のものが増えてきましたが、かつて各家庭の電力量計は、くるくる回るアルミの円板がついたものが主流でした。

円板のそばには磁石を動かす時と同じ効果が出るように電磁石が２つついています。電気を使うと電磁石で動く磁場（磁界）が発生します。すると円板に渦電流が発生し、電磁石と作用して円板が回転します。回転数は、回転軸につけたカウンターで数えます。電気をたくさん使うと電磁石が強くなるので、回転スピードが上がり回転数が増えます。

円板は滑らかに回るようにつくられています。このままでは、電気を使うのをやめても、すぐには回転が止まりません。電気を使わないのに円板が回るのでは困ります。

回転を止めるしくみが、円板をはさむように取りつけられた永久磁石です。円板が動くと、ここでも渦電流が発生します。この渦電流がつくる磁場は、永久磁石と引き合い円板にブレーキをかけます。これによって、電気を使うのをやめると円板の回転が止まります。

アラゴの円板

1824 年フランスの物理学者アラゴは、糸でつるした銅の円板の下で磁石を回転させると、円板が磁石につられて回転するという不思議な現象を発見しました。アラゴによって発見されたので「アラゴの円板」と呼ばれています。

アラゴの円板は、なぜ回転するのでしょう。

それは、回転する磁石によって、円板に渦電流が発生し電磁石ができます。この渦電流が作る磁場が回転する磁石と作用して円板が回転するのです。

IH 調理器では使えない鍋

ガラスや陶器でできた鍋は、電気を通さないので渦電流が発生しません。そのため熱が発生しないので調理には使えません。また、銅やアルミニウムは電気抵抗が小さく電気をよく通します。これらの電気をよく通す素材でできた鍋は、渦電流が発生しても電気抵抗が小さいため発熱量も小さく調理には使えません。

そのため、初期の IH 調理器で使用できるのは、電気抵抗の大きい鉄やステンレスでできた鍋に限られていました。

進化したIH調理器

この土鍋 どー なんべ？
IH つかえる？？

交流電流では、周波数によって金属の電気抵抗が変わります。周波数を高くすると、電流は金属の表面しか流れなくなります。そのため、電気抵抗が大きくなります。銅やアルミニウムなど電気を通しやすい素材でも、周波数を高くすると発熱量を大きくすることができることはわかってはいましたが実用化は困難でした。

やがて、高い周波数を安定してつくり出す技術や装置の小型化、調理器具の素材による周波数の使い分け、効率よく働く加熱コイルなどの技術開発が進み、オールメタル対応のIH調理器が製品化されました。

IH調理器対応の土鍋では、金属の発熱体が土鍋の底に張り付けてあります。この発熱体から出た熱が土鍋を温めるしくみになっています。

鍋料理をだす料亭では、卓上IH調理器と竹かごに入った和紙の鍋を使用していました。具材と一緒に金属の発熱体を入れているのです。見た目にも趣があり､後始末もしやすいようです。

ここが一緒！

金属板の近くで磁界が変化すると渦電流が発生します。IH調理器や電力量計ではこの渦電流を上手に活用しています。

「光ファイバー」は「水中の全反射」で説明できます！

光ファイバーは全反射を利用する

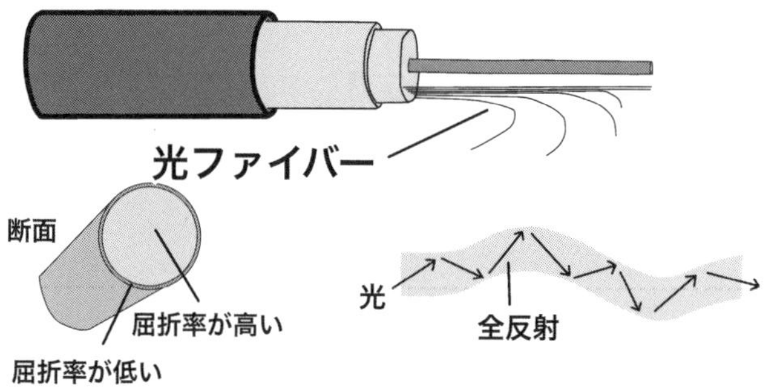

水中では光の全反射が起こる

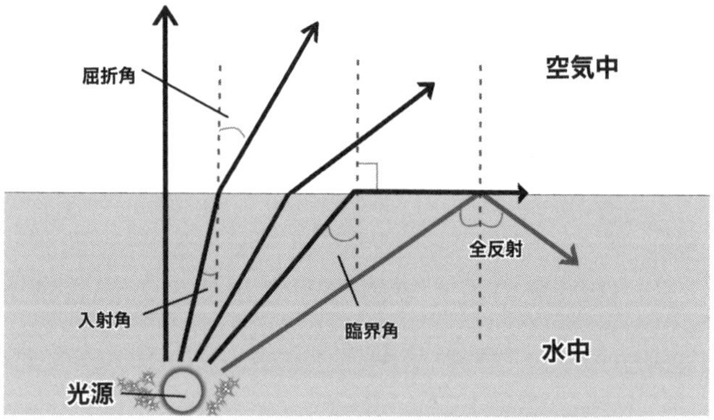

インターネットの光回線は光ファイバーでデータを送る

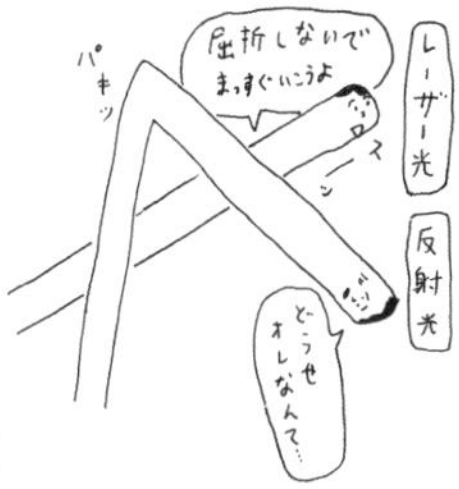
パキッ
屈折しないでまっすぐいこうよ
スーン
レーザー光
反射光
どーうせオレなんて…

インターネットの光回線とは、光ファイバーによるデータ通信のことです。端末のデータを次のようにして光回線を通して別の端末に送ります。

❶ 端末のデータをいったんレーザーの強弱ある光に変換

▼

❷ レーザー光は光ファイバーの中を通り

▼

❸ またレーザー光を端末でデータに戻す

レーザーの光というのは、プレゼンの時に使うレーザーポインターの光を見ればわかるように、非常にまとまりよく揃って直進してくれる光です。波長、振幅が一定で、位相が揃っていて直進性が高い「コヒーレントな光」の代表です。どこまでもまっすぐに進む性質を利用して、アポロ計画で月面に残してきた新聞紙大の反射鏡にカリフォルニアの天文台からレーザーをあてると、ちゃんと戻ってきたので、月と地球との距離を測ることができました。

レーザー光なら、一気にたくさんのデータを送ることができ、「光の速さ」で伝えられます。

レーザー光が通るのが光ファイバー。ガラスやプラスチック、フッ素樹脂などが素材に用いられています。中心部（コア）は屈折率の大きい素材を使い、外周部（クラッド）に屈折率の小さい素材を使い、光信号が中心部を全反射しながら進んでいくというしくみです。

反射の法則とは

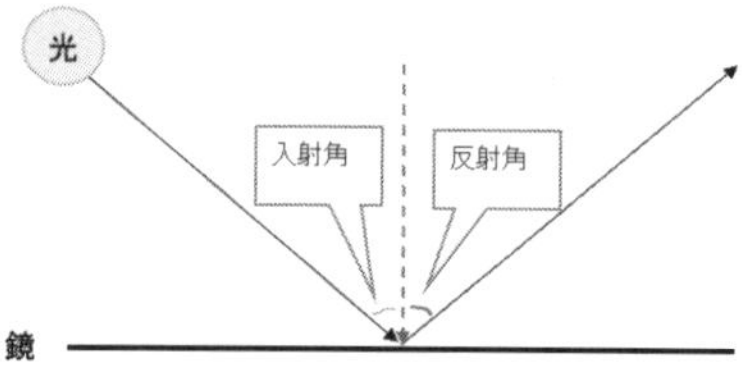
光
入射角
反射角
鏡

入射角?
屈折角?
親戚かな?

鏡の表面に立てた垂線と入射光、反射光がなす角を入射角、反射角といいます。この時、どのような入射角でも、入射角と反射角の大きさは等しくなります。これを光の反射の法則といいます。

鏡に映った物が、鏡の向こう側にあるように見えるのは、物から出た光のうち鏡に向かう光が、鏡の表面で反射の法則にしたがって反射されるからです。

魚の空は“丸い”!?

空は?
広い!
大きい!
青い!
丸い!
えっ?丸い?

透明な物の平らな表面に光があたると、反射するだけではありません。たとえば空気中から水やガラスへ光をあてると、さらに内部に進んでいく別の光線がつくられます。

空気と水やガラスの境界面に垂直に入った光はそのまま直進しますが、斜めに入った光は、進む向きを変えます。この現象を「光の屈折」といいます。境界面に立てた垂線と入射光、屈折光のなす角をそれぞれ入射角、屈折角といいます。

水の中から空気中へ出る光では、入射角が大きくなり屈折角がちょうど９０度になると、屈折光が水面と一致します。この時の入射角を「臨界角」といいます。入射角が臨界角より大きくなると、空気中へ出て行く光がなくなり全反射が起こります。

臨界角は、水から空気に進む場合は約 49°、ガラスから空気に進む場合は約 43°です。

プールにもぐって水中から上を見ると、空が丸く見えます。約 49°以上のところでは全反射してしまうので、その角度の範囲内でしか空が見えません。全反射したところは鏡のように銀色に見えます。

水中の魚も、いつもこうした丸い空を見ているはずです。

ダイヤモンドは臨界角が 24.4°。ガラスよりずっと小さいです。つまり小さな入射角でも全反射が起こります。これはダイヤモンドがよく輝く理由のひとつです。

ここが一緒！

全反射を使うと光の強さを弱めないで方向を変えることができます。光ファイバーはこの原理を利用しており、光ファイバーが曲がっていても光は全反射をくり返しながらその中を伝わっていきます。

最新科学のカラクリ
4

「赤外線センサ」の原理は「テレビのリモコン」で説明できます！

自動ドアなどでは赤外線センサが使われている

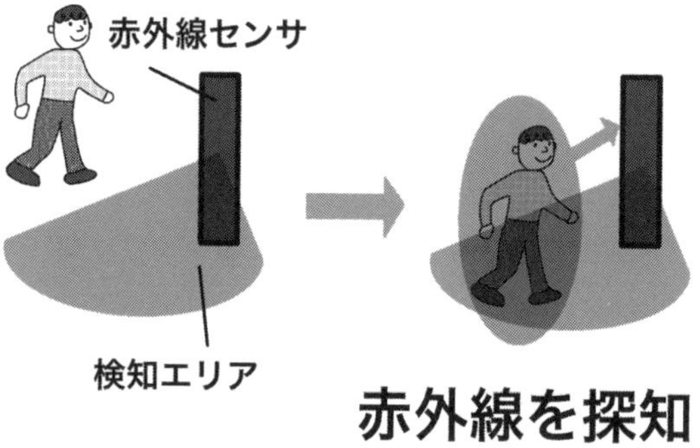

テレビのリモコンのしくみ

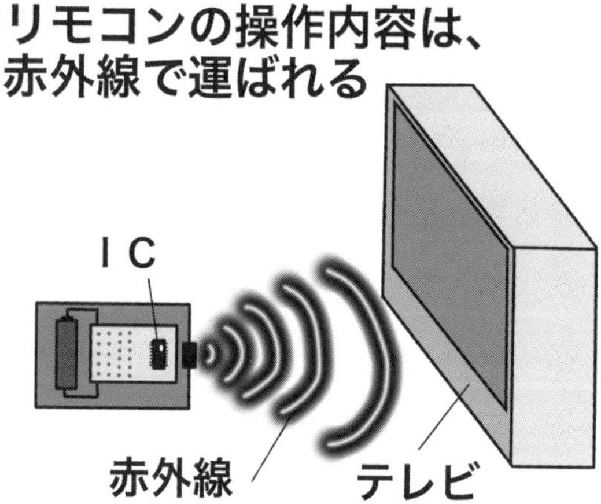

じつはたくさん使われている赤外線センサ

自動ドア、照明、自動水栓、エアータオル、防犯カメラなど、私たちの身の回りでは、いろいろなところで赤外線センサが使われています。

赤外線は目に見えない光です。すべての物質は熱を持っており、その温度に応じた赤外線を出しています。この赤外線を使って感知するのが赤外線センサです。

人も赤外線を出しています。蛇口の下に手を入れると水が出る自動水栓では、手から出る赤外線をセンサが検知して、手があることを判断し水を出しています。

人の通りが多い歩道に面した自動ドアでは、ドアに貼られたマークの付近でのみ赤外線を検知する工夫をしています。これにより、ドアの近くを素通りしてもドアは開かず、マークに手を近づけた時にのみドアが開きます。

あらゆる所に
赤外線
ソロリソロリ
あら、ゆるせない!!

見えない赤外線を見る

赤外線は19世紀に入って間もない頃、イギリスのウィリアム・ハーシェルによって発見されました。ハーシェルは、太陽光をプリズムに透過させ色の帯をつくり、赤色の外側の何も見えないところに水銀温度計を置きました。水銀温度計の温度が上昇したことから、赤色の先にも目に見えない光が存在することを確かめました。

スマートフォンなどのカメラには、人の目では見えない赤外線の領域も写るものがあります。スマートフォンのカメラでテレビのリモコンのLEDを見ると、ボタンを押した時だけLEDが光ります。テレビのリモコンにも赤外線が使われていることがわかります。

赤外線の性質を調べてみると…

赤外線の性質は、テレビのリモコンを使って確認することができます。リモコンを真下やテレビと反対方向に向けて操作してもテレビは反応しません。赤外線には、光のように直進する性質があることがわかります。

この時、鏡をうまく使って（真下やテレビと反対方向を照らしている懐中電灯の光を鏡で反射してテレビに当てるイメージ）テレビの方向へ赤外線を反射させるとリモコンで操作できます。赤外線を鏡で反射できることがわかります。

リモコンの前を厚い布などで遮るとリモコンは働きません。しかし、透けて見えるレースなど薄い布では、遮ってもリモコンは働きます。さらに、光が透けて見えない布で遮ってもリモコンは働きます。

これらのことから、赤外線には可視光線と同じような光の性質があることがわかります。

そしてさらに、赤外線は可視光線では通過できない薄い布を通過することもわかります。赤外線の通過力が可視光線より大きいのは、波長が長いためです。

光が強いと赤外線センサは働きづらい

人が発する赤外線は弱いので、赤外線センサは直射日光が当たる明るいところではうまく働かないことがあります。ちょうど、スマホの画面に太陽の光が当たると、スマホの画面が見えにくくなるのと同じです。

そこで、照明器具では、明るい場所での誤動作を防ぐために、明るさセンサを併用して、明るいか暗いかを判断して、明るいときには照明を点けず、暗くなったら赤外線センサで照明を制御するようにしたものもあります。

人の出入りを管理するゲートでは、明るくても暗くても正確に動かなければなりません。センサを黒い筒の奥に設置して外からの光が届きにくいようにします。赤外線投光器から出た赤外線は筒の奥のセンサまで届きます。赤外線投光器とセンサの間を人が横切って、赤外線を遮った時に作動します。

光が強い……
人が見えにくい……
赤外線センサ
なんにもせん
働かなきゃいいよ…

ここが一緒！

「赤外線センサ」も「テレビのリモコン」も目に見えない「赤外線を利用」して動作しています。

空気のない宇宙を「ロケットが飛ぶ」わけは「ロケット花火」で説明できます！

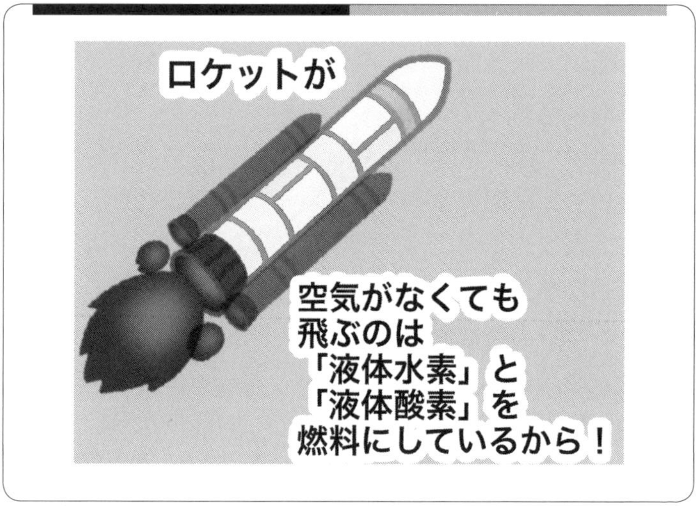
ロケットが
空気がなくても
飛ぶのは
「液体水素」と
「液体酸素」を
燃料にしているから！

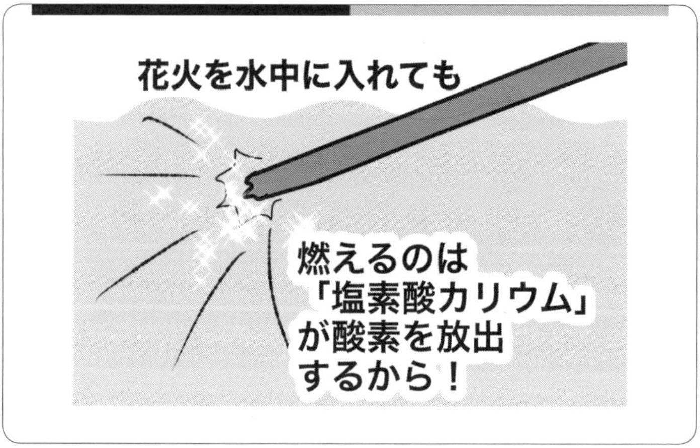
花火を水中に入れても
燃えるのは
「塩素酸カリウム」
が酸素を放出
するから！

ロケットが飛ぶのはなぜ？

物体と物体とはお互いに力をおよぼし合います。相手から力を受けずに相手に一方的に力を加えることはできません。

一方の力を「作用」とすると、他方の力を「反作用」といいます。

また、力の大きさは反対向きで同じ大きさです。このことを「作用反作用の法則」といいます。

私たちが道を歩く時、足が地面を後方に押しますが、同時に地面から押し返されて前へ進みます。自動車も、車輪が道路を後方に押すと、道路から同じ大きさの力で押し返されて進みます。

ロケットは、燃焼ガスとロケットの力のおよぼし合いで飛びます。燃焼ガスはロケットを進行方向へ押し、ロケットは燃焼ガスを後方に押しています。

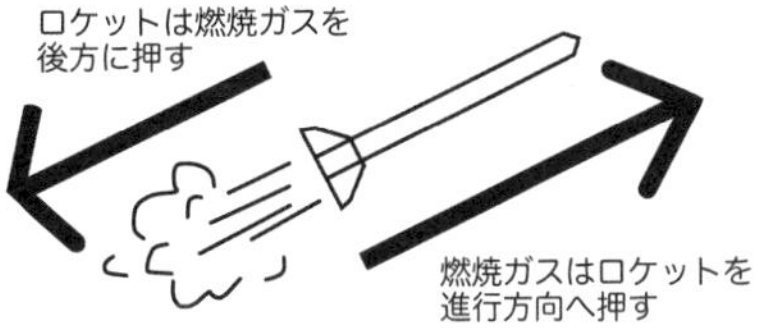
ロケットは燃焼ガスを
後方に押す
燃焼ガスはロケットを
進行方向へ押す

空気がなくても燃料が燃えるワケ

ロケットは燃料で２つの種類があります。

１つめは､「固体燃料」のものです。粉末の燃料と酸化剤（反応で酸素を出す粉の薬品）を均一に混ぜ合わせて固めたものを使用します。構造が簡単なので取り扱いが容易なのですが、誘導制御が難しいです。

２つめは､「液体燃料」のものです。液体水素を燃料として、液体酸素と組み合わせて利用します。液体水素も液体酸素も、とても低い温度で液体になるため、発射近くになってからタンクに入れます。水素タンクと酸素タンクは別々になり、固体燃料ロケットより構造が複雑なので取り扱いが難しくなりますが、誘導制御はしやすくなります。

どちらにしても、燃料を燃やすための空気（酸素）のない宇宙を飛ぶためには、酸化剤や酸素が必要です。推進のための燃焼ガスをつくる燃料と酸化剤をロケット内に蓄えているので、地表から高く空気が薄いところ、さらには真空に近い宇宙でも飛行可能です。

ロケットマメチシキ

現在、主力大型ロケットとして日本で用いられているのはH-IIA ロケットです。この試験1号機は全長約53 m、直径は4 m、発射時の総質量は290 t もある世界指折りの大型ロケットです。液体酸素と液体水素を利用したメインエンジンと、固体燃料を利用したロケットブースターを組み合わせた二段式ロケットです。

このロケットの運ぶ力は強力で、高度が低い地球周回軌道なら10 t、静止軌道には2 t の衛星を打ち上げることができます。さらに、ブースターロケットは、2本か4本追加できるので、打ち上げる目的に合わせて、変更可能です。

H-IIA ロケットは2023 年度の打ち上げを最後に退役の予定で、次期主力ロケット「H3」が 2020 年度に完成する予定です。

提供：JAXA

おもちゃ花火のしくみ

おもちゃ花火には火薬のほかに酸化剤が入っています。ロケットが燃料と酸化剤（酸素も酸化剤のひとつ）による燃焼ガスで推進しますが、おもちゃ花火も基本的に同じような成分からできています。おもちゃ花火の酸化剤は主に塩素酸カリウムが用いられます。塩素酸カリウムは熱すると、簡単に分解して酸素を放出します。

手持ちの花火の火薬部分を水に濡れにくいようにアルミホイルやセロハンテープで巻いて、火をつけて水の中に入れると水中で燃え続けます。

空気中の酸素が使えなくても、酸化剤から出る酸素で燃え続けます。

ロケット花火の成分も同じですから、ロケット花火が飛ぶのも本物のロケットと同じ燃料と酸化剤による燃焼ガス噴射によるのです。

ここが一緒！

本物のロケットの燃料と酸化剤の組み合わせは、おもちゃ花火の火薬と酸化剤の組み合わせと基本的に同じです。

ロケット花火に至っては、本物のミニ版ロケットといえるでしょう。

6 「地球と月の距離測定の方法」は「自転車の反射板」で説明できます！

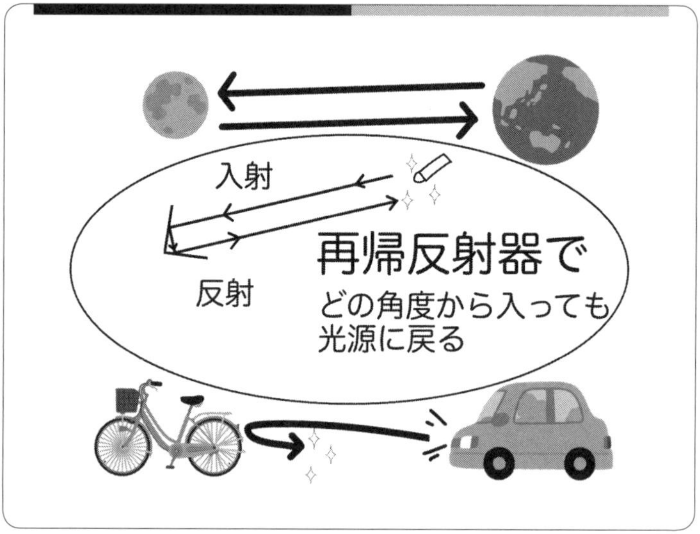
入射
反射
再帰反射器で
どの角度から入っても
光源に戻る

月までの距離はどのように測るの？

こレザー無理だよ！
はかれない…
そレザーどうしよ〜〜〜
レザーのメジャーかぁ〜……
もう降参でいいじゃん
レーザー、こうさん？
レザーこうせん

月は、約 38 万5千 km 離れた地球を回る衛星です。地球から月までの距離を測る方法は、三角測量などいくつかあります。その中で、最も正確なのはレーザー光線を使った方法です。

アメリカのアポロ計画で、月に再帰反射器（入射した光が再び入射方向へ戻る反射現象を利用したもの）が設置されました。この再帰反射器に地球から発射したレーザー光線を当て、レーザー光線が反射されて帰ってくるまでの往復の時間を測定します。光の速さは正確にわかっていますから、次の式で月までの距離を計算で求めることができます。

月までの距離＝光速×往復の時間÷２

再帰反射器とは？

立方体のコーナーのように３枚の鏡を直角に組み合わせると、入射した光は鏡で反射して元の方向へ帰ります。再帰反射器は、この原理を使ってプリズムや鏡などでつくられています。月に設置された再帰反射器に入射した光は、その内部で何回か反射して、正確にもと来た方向へ帰ります。そのため、地球上のどの観測点からレーザー光線を発射しても、反射した光を観測することができます。

実は、自転車や道路の反射板にも再帰反射器が使われています。車のライトが正面だけでなく斜めから反射板にあたっても、車の方向に光が反射され安全に確認できるようになっています。反射板の表面は平らですが、裏側は立方体の角のような凸凹がたくさんついています。この一つひとつが光をもとの方向に反射させます。

夜間の安全グッズ

歩行者を交通事故から守るために、車のライトがあたると光る反射テー

プリズムタイプ
高い輝度！
反
射
ピカ
ピカ
ケッ
気取りやがって

プなどの安全グッズが販売されています。光るための電源を必要としないので、エコな安全グッズになっています。これらの反射材には、小さなガラスビーズが使われたものがあります。

高屈折率のガラスで作られたガラスビーズは、凸レンズのように光を集めます。焦点の位置に反射材があると光は反射されて元の経路を戻ります。それで、反射素材の上にガラスビーズを貼り付けると、あたった光が元の方向へ反射する再帰性反射素材になります。

塗装したての横断歩道にガラスビーズをまいて固定することで横断歩道の夜間の視認性を高めるような使い方もされています。

プリズムタイプの反射材を表面に接着した素材は、ガラスビーズに比べ高い輝度を確保することができます。交通誘導の安全ベストや危険な作業での作業服など高視認性が必要なところに使われています。

ここが一緒！

「自転車の反射板」も、月の距離を測定するための「再帰反射器」も、「反射した光が元の場所にもどる性質」を使っています。

新科学の
カラクリ
7

「有機EL」は
「ホタルの光」で説明できます！

有機ELが光るしくみ

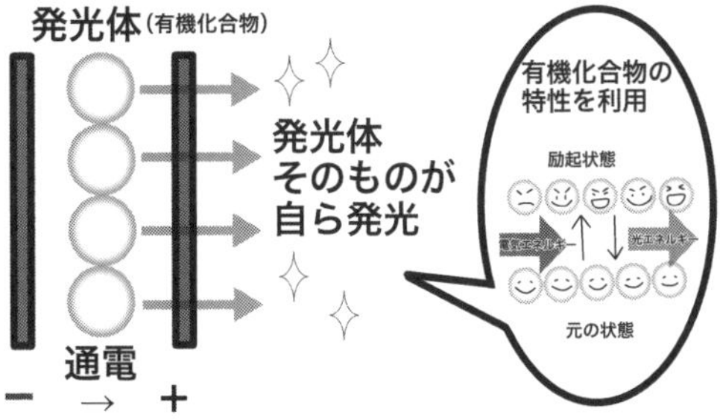

ホタルの光るしくみ

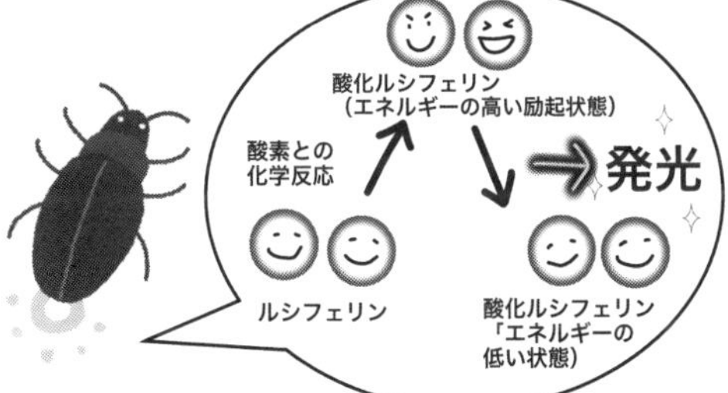

有機ELは人間がつくり出したホタル

スマホやテレビなどに有機ＥＬ（エレクトロルミネッセンス）と呼ばれるディスプレイが使われるよう

になってきました。有機ELディスプレイは液晶に続く次世代の薄型ディスプレイとして注目されています。

　また、有機ELは照明への利用の研究開発も進んでおり、次世代の照明として期待されています。

「ルミネッセンス」とは発光を意味します。たとえば、ライブなどを盛り上げる、ポキッと曲げると発光する棒状のケミカルライト。これは化学反応のエネルギーで励起状態（高エネルギー状態）となった蛍光物質が、元の安定したエネルギー状態に戻る時に、余分なエネルギーを光として放出する化学ルミネッセンスを利用したものです。

　EL（エレクトロルミネッセンス）とは、蛍光体に電圧を加えた時に発光する現象であり、発熱することがほとんどなく電気を光に変えることができます。蛍光灯やLED（電圧をかけると光を出す半導体）が光るしくみもエレクトロルミネッセンスです。この発光体に「有機化合物」を用いるものが「有機EL」です。

ホタルはどうやって光っているのか？

　自然界で光るといえばホタル。じつは電気を使わず発光するしくみは複雑で、酵素が活躍しています。

　細胞内にあるATP（エネルギーを出す物質）の持つエネルギーを消費することで酵素ルシフェラーゼがルシフェリンを分解して励起状態の酸化ルシフェリンを生じます。

　励起状態の酸化ルシフェリンが元の状態に戻る時に黄緑色の光が発生します。

　有機ELでは、電流により励起された有機化合物（発光層）

が元の状態に戻る時に放出するエネルギーで発光します。つまり有機 EL は、人間がつくり出したホタルといえるのです。

ルミネッセンス
ホタル型ライト作ったの…
ルミね、センスないの…

液晶よりも画面がきれいで低消費電力

液晶のしくみは「影絵」と同じで、自ら発光しないため、液晶ディスプレイにはバックライトが必要です。

有機 EL は自ら光を発するので液晶ディスプレイのようなバックライトのスペースが不要で、そのため薄くできます。

液晶と違って、斜めから見ても画像がきれいに見え、発光を止めればはっきりした黒色も表現できます。使わない光を出さないため低消費電力となり、薄型化が可能なこともあって、まずスマホへの応用が進んでいます。大型のテレビにも使われるようになりました。極薄で単純な構造なのでプラスチック基板を使えば曲げることも可能です。丸めておいたテレビを見る時に開くとか、画面が曲面にできるとか、今までのテレビとは大きく違うつくりにできるかもしれません。

ここが一緒！

有機 EL は電気、ホタルは ATP のエネルギーを使って発光しています。共に「エネルギーを発光に使う」ことができます。有機 EL は人間が作り出したホタルといえるでしょう。

最新科学のカラクリ 8

「偏光板の原理」は「すだれ」で説明できます！

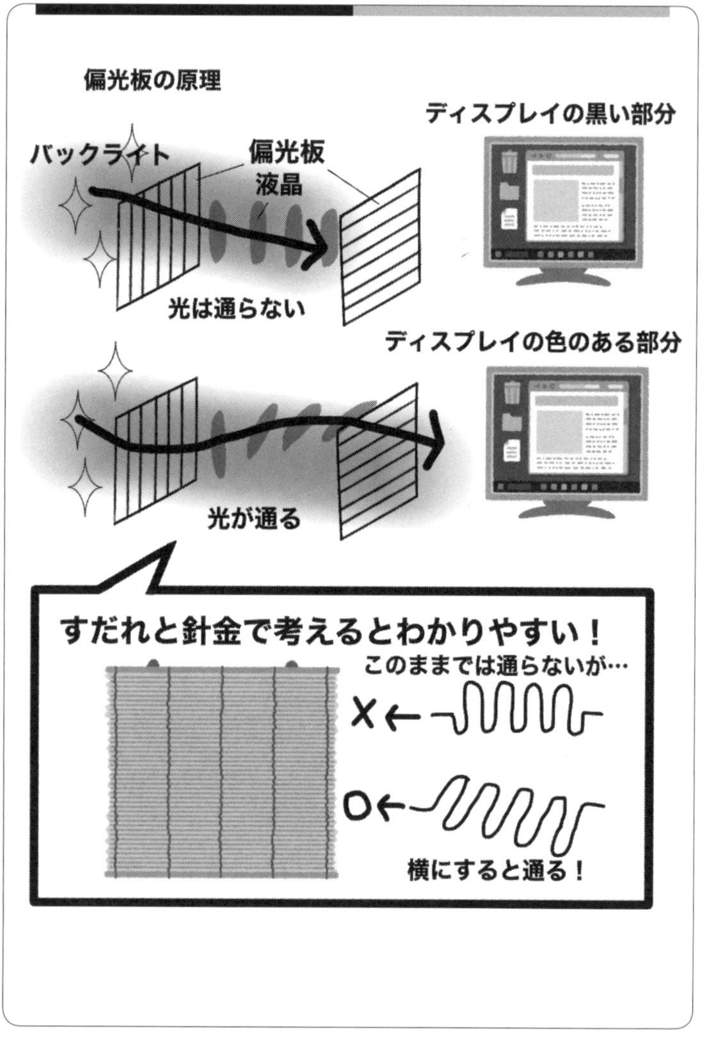

偏光板と聞いて、私たちの生活にあまり関係ない、使わないという人も多いと思います。

なるほど、偏光板というもの自体には、なかなかお目にかかれません。釣りやドライブのサングラスに偏光サングラス、とかポラロイドグラス（ポラロイドは商標登録されています）という名前で売られていますが、サングラスをかけない人には、無縁のように思われます。

変更していい？
いつもしてるじゃん
偏光

しかし、意外なところで、毎日お世話になっているのです。それは、液晶テレビの画面やパソコンのディスプレイに使われていると聞けば、それなら毎日お世話になっていると納得するでしょう。

偏光板と光の性質

偏光板とは、どういうものでしょうか。川の中の様子は、太陽の光が水面に反射して裸眼ではぎらついてよく見えないことがあります。しかし、釣りに使う偏光サングラスは、ぎらつきを抑え、ウキや水中の様子などがよく見えるようになります。これは、光の性質を考えるとわかります。

光は、性質のひとつに波の性質を持っているのです。しかも、光は横波の性質、つまり、ギターの弦や海の波のような波です。光の進む方向に対して垂直に波ができています。太陽の日差しや電球、蛍光灯の光などのふだん私たちが見ている光は、進む方向に対して垂直な波が集まっていますが、いろいろな方向に振動しているのです。このいろいろな方向に振動している光の中から、ある一部の方向だけに振動する光を取り出すことを偏光といいます。

偏光板とすだれ

だれ?
ガシャ
酢
すだれ

この偏光板の現象は、すだれと針金を使うとわかりやすく説明することができます。普段見る光はいろんな方向の振動をもって進んでいます。光の振動を表すために、波形の針金を作ります。この針金が光の振動を表しています。光はいろいろな方向で来るので、針金をいろんな方向に向けてみます。そして、偏光板の役目は、すだれ(目の粗いもの、隙間があるもの)を用意します。

すだれの目と同じ方向にして、針金をすだれに近づけ通します。すると、すだれの隙間を通って、針金は、反対側に通ってきます。

次に、針金を90度回転して通してみます。すると、今度はすだれに引っかかって、通りません。

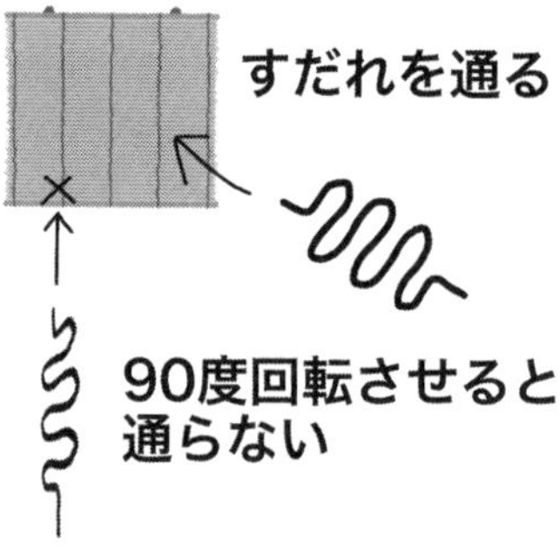
すだれを通る
90度回転させると
通らない

また、同様に30度や60度に傾けても通りません。

このようにある方向に振動する光だけを通しているのです。

偏光板は、あるひとつの方向に振動する光の成分だけを通過させるようにつくられたものなのです。

液晶ディスプレイはなぜ映るの

それでは、皆さんが一番偏光板のお世話になっている、テレビやパソコン、スマートフォンの液晶ディスプレイは、どうして映っているのでしょう。

偏光板を２枚用意して、偏向の方向を 90 度回転させて重ねます。そして、バックライトで光を出します。１枚目で通過した光の波は、２枚目は偏向の方向が違うので、光は通過できません。

その間に、液晶分子を並べた膜を入れます。液晶分子は、電圧がかかっていないと、それぞれ方向の光をすこしずつ回転させて、伝えていくように向きを並べてあり、反対側に光を届けます。この時、90 度曲がった光が伝わるので、光は通過します。

でも、電圧を膜の間にかけると、すべての液晶分子が同じ方向をむき、光を通すことができません。

このように、偏光板を使って、液晶分子の膜間に電圧がかかっているかいないかで表示することができるのです。カラーはこのことを各色についてやっています。

液晶の画面を偏光板、または偏光サングラスで見てみるとあるところで、真っ暗になりますよ。偏光板が使われているということです。

ここが一緒！

波形の針金をうまくすだれに通すように、偏光板も光の向きを調整している！

「加速器」は「電子レンジ」で説明できます！

加速器

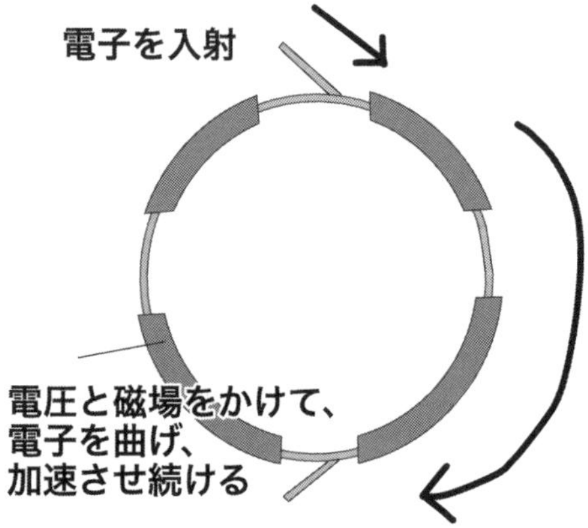
電子を入射
電圧と磁場をかけて、
電子を曲げ、
加速させ続ける

電子レンジ

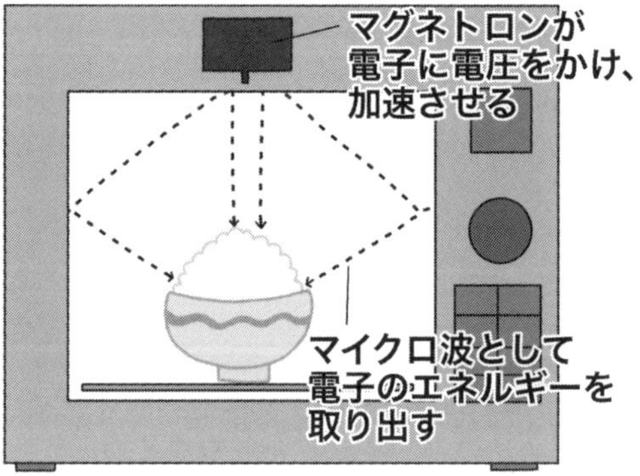
マグネトロンが
電子に電圧をかけ、
加速させる
マイクロ波として
電子のエネルギーを
取り出す

加速器を知っていますか？

加速器は、目に見えないほど小さな荷電粒子（電子や陽子や陽電子など）を光のスピードくらいにまで加速するための装置です。そうして加速した粒子を互いにぶつけると、その瞬間に新しい粒子がたくさん誕生します。素粒子の性質を研究する物理学では、そうやって新しい粒子をつくって性質を調べています。

茨城県つくば市にある高エネルギー加速器研究機構（KEK）の加速器や兵庫県にあるSpring8は有名です。最近では理化学研究所の加速器を使って新元素（原子番号113　ニホニウム）がつくられました。

小さな粒子、どうやって加速させる？

ではどうやって小さな粒子を加速するのでしょう。たとえばボールのように投げればよいと考えるかもしれませんが、投げたボールは手を離れた瞬間、もう進行方向の力は働きません。ただ投げても水平方向には加速してくれないのです。進行方向に加速するには、その方向に力を加え続ける必要があります。

粒子に電荷という性質があると、うまい方法があります。電荷がある粒子（荷電粒子）は電圧をかけた空間では力を受け続けるのです。そこで、電圧をかけるエリア（加速空洞）を真空にして何個もつなげて長く強い電圧をかければ、電子や陽子をどんどん加速することができます。これを線形加速器（リニアック）と呼びます。線形加速器は大量の粒子を加速することに向いています。

しかし線形加速器では荷電粒子が各加速空洞を一回しか通過しないので、光速に近いくらい速くしようと思うと加速空洞をとてもとてもたくさん並べなくてはいけません。

そこで、加速空洞を円形に並べて、少しずつ横に曲げながら加速すれば、円形に並んだ加速空洞を粒子が何度も通過することで、長い時間電圧をかけ続けられます。

つまり粒子をどんどん高速にすることができるのです。この発想でつくられた加速器をシンクロトロンと呼びます。

粒子の進行を左右する意外なもの

ではどうやって粒子を少しずつ横に曲げるのでしょう。これには磁場を使います。ある荷電粒子の進行方向に対して上下方向に磁場をかけると、荷電粒子にローレンツ力という水平方向の力が働いて、進行方向を少し横に曲げることができるのです。実際の加速器では、磁石をとても精密にたくさん置き、電子や陽電子の位置をマイクロメートルの単位で制御しています。

ただし、曲げることによる悪い影響もあります。荷電粒子が速くなってくると、磁場で曲げた瞬間に強い光（放射光）を出して運動エネルギーを失ってしまうのです。このため、速度をあげようとすると、シンクロトロンの円の半径を大きくして、あまり急に曲

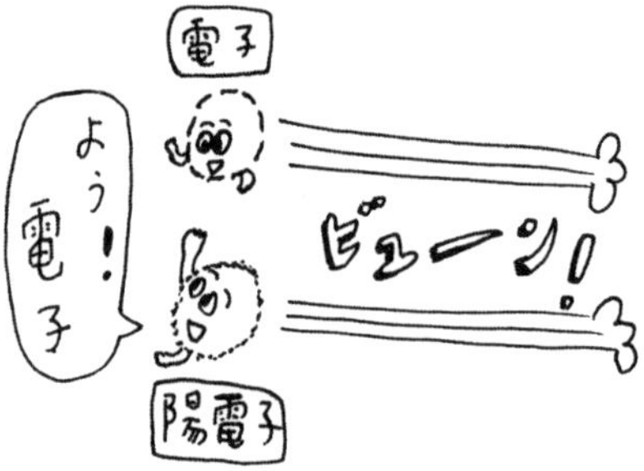
電子
よう!電子
ビューン!
陽電子

げないようにする必要が出てきます。LHC というスイスにある世界最大のシンクロトロンは全周が 27 km もあります。

一方で、この放射光はとても強力な光であるため、様々な利用法があります。たとえばこの光をガンに当てて治療に使ったり、物質の構造を分析することにも使われています。

電子レンジで“加速”させているのは？

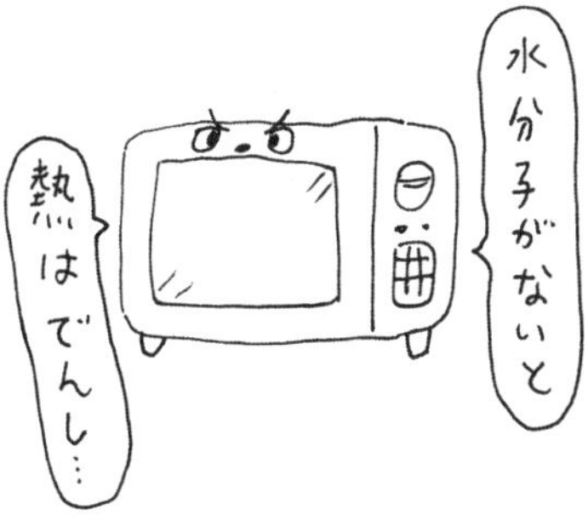
水分子がないと
熱はでんし…

さて、このしくみが実は電子レンジそのものなのです。電子レンジの心臓部にはマグネトロンと呼ばれる管があります。この管では加速器と同じく、最初はほとんど止まっているような電子に電圧をかけ、円形に何度もまわしながら加速していきます。

加速器では最終的に加速した電子をぶつけることで実験をするのですが、電子レンジでは加速した電子を空洞で共振させて、電子のエネルギーをマイクロ波という強い電波の形で取り出します。この電波で水の分子を振動させて食べ物を温めるのが電子レンジなのです。この原理はレーダーの電波をつくることにも使われています。

ここが一緒！

「電子レンジ」も「加速器」も電圧と磁場で電子を曲げながら加速している！

最新科学のカラクリ

10

「インターネット」は「伝言ゲーム」で説明できます！

インターネットのしくみ

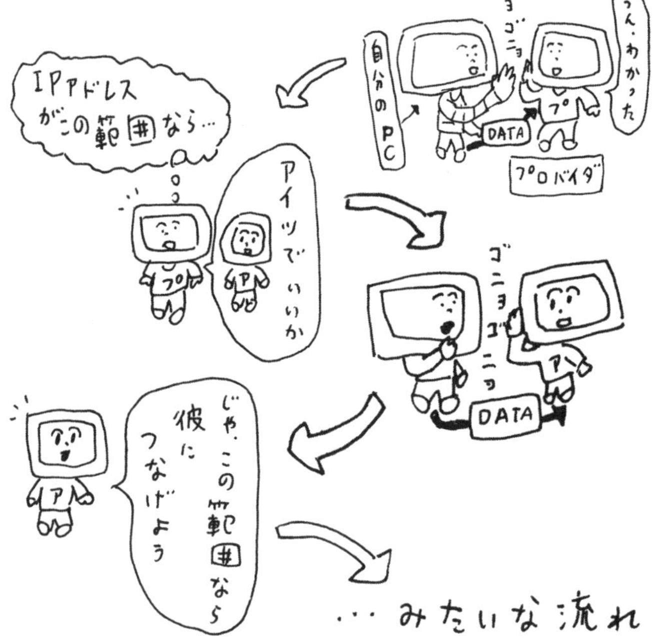
自分のPC
ゴニョゴニョ
うん、わかった
DATA
プ
プロバイダ
IPアドレスがこの範囲なら…
アイツでいいか
ゴニョゴニョ
DATA
じゃ、この範囲なら彼につなげよう
…みたいな流れ

URLを入力すると、全世界どこでもすぐにつながるインターネットのサイト。よく考えてみるとこれは不思議です。あなたのパソコンやスマホが全世界のコンピューターへの経路を記録しているということなのでしょうか。

パソコンやスマホはどうやって、目的のコンピューターへの経路を見つけて、瞬時につなげられるのでしょうか。

コンピューターの伝言ゲーム

じゃ、送りますよ
来た来た
DATA政宗
来たよ
ヒヒーン
パカパカ
『来た DATAを送るだけ』

インターネットのしくみは、バケツリレーや伝言ゲームのようなもので成り立っています。

あなたのパソコンやスマホがインターネットにつながっている時、それはインターネットの端にあるプロバイダーという会社のコンピューターにつながっているだけです。スマホであれば、それは電話会社のコンピューターかもしれません。

パソコンやスマホは、インターネット向けの通信内容を何も考えずにプロバイダのコンピューターに丸投げします。そこには宛先のＩＰアドレス（とポート番号）が書いてあります。プロバイダのコンピューターは、さらに数個の別のコンピューターにつながっていますが、「ＩＰアドレスがこの範囲ならこのコンピュターにつなげる」という簡単なリストを持っているだけです。

そして宛先に書かれたＩＰアドレスに従って、つながっている数個のコンピューターのどれかにデータを丸投げします。プロバイダのコンピューターからデータを受け取ったコンピューターも同じです。さらにつながっているコンピューターのどれかに、まるで伝言ゲームのようにデータを丸投げするのです。

なお伝言ゲームなのでたまにデータの内容を間違えますが、間違えると検出できるようになっています。間違えた場合は前のコンピューターに再送してもらいます。こうして、ほとんどのデータは無事に相手先に届きます。

リストの更新

イチ、ニ！
イチ、ニ！
イチ、ニ！
リス
PC
スマホ
リスとの行進

　しかし、たまにはコンピューターが故障していたり、メンテナンスしていたりして、止まっていたりします。もしデータが届かないと、丸投げしようとしたコンピューターは「おかしいな」と気付き、ＩＰアドレスの範囲と投げるコンピューターのリストを修正して別のコンピューターに投げます。

　しかしつながっているどのコンピューターにも届かないなら、諦めて前に投げてきたコンピュターにエラーを返します。こうしてエラーがなくなるまでデータは戻り、その過程でネットワークの各コンピューターが丸投げリストを修正します。そうして、新しく選ばれた経路で何とか届くようにします。

　こうしておくと各コンピューターは隣のコンピューターへ送るためのＩＰアドレスの範囲しか保持しないで済みます。インターネットでは、すべてのデータを管理しているコンピューターはありません。

　またコンピューターはどんなに頑丈でも、世界中で見ればしょっちゅう故障したりメンテナンスしたりしていますから、送り方のリストは日々常に更新されて、いつでも無事に届くよう自動的にメンテナンスされているのです。

ここが一緒！

「インターネット」も「伝言ゲーム」も「来たデータを送るだけ」というのが一緒！

3章

このたとえなら「生き物」のことがもっとよくわかる！

「金属酸化物から還元して金属を得る反応」は「男女関係」で説明できます！

金属酸化物から還元して金属を得る

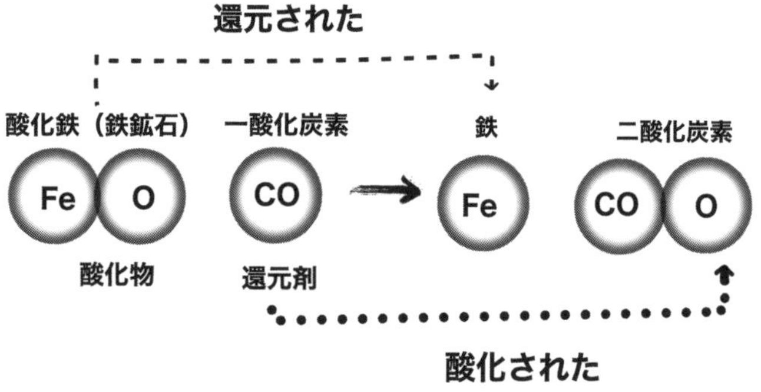

「男女関係」は魅力的な人が現れると変化する

酸素の働きはあちこちで…

私たちは空気に囲まれて生活しています。空気中には、約21％の酸素がふくまれています。

鉄くぎは、古くなるとさびていきます。これも酸素が関係しています。鉄が空気中の酸素と化合して、ゆっくりと酸化鉄になっていくからです。

物質に酸素が結合することでできる物質を「酸化物」といいます。

酸化物が酸素を失う反応を「還元」といいます。

たとえば、銅を空気中で熱すると酸素と結合して黒色の酸化銅になります。酸化銅を水素を流しながら、あるいは酸化銅と炭素を混ぜて熱すると、酸化銅は酸素を失って銅になります。水素、炭素は酸化銅の酸素と結びついて水、二酸化炭素になります。

鉄鉱石から鉄を取り出すには？

私たちのまわりはいろいろな材料でつくられています。金属、岩石、土、木、セラミックス（焼き物）、繊維、プラスチックなどです。

なかでも鉄、アルミニウムなどの金属は大変重要な材料です。

金属利用の歴史は、鉱石からその金属を単体として取り出す技術の進歩でもありました。人はまず自然状態で金属として得られた金、宇宙から落ちてきた隕鉄（鉄が中心の隕石）を使いました。しかし隕鉄はわずかしかありません。次に鉱石から金属を取り出しやすい銀、銅は、鉄やアルミニウムよりも古くから利用されてきました。
現在では多くの種類の金属が、さまざまな用途で用いられていますが、最も広く利用されている金属は鉄です。そして日本では古来より、砂鉄（酸化鉄）を木炭（炭素）で還元する「たたら製鉄」が行われてきました。
現在の製鉄では、鉄鉱石（酸化鉄を多くふくむ磁鉄鉱や赤鉄鉱など）、石炭をむし焼きにしてつくったコークス（炭素）、石灰石などを混ぜ、鉄を取り出しています。
この時の反応は、鉄と酸素が結びついた鉄の酸化物を主に一酸化炭素で還元するというものです。

酸化鉄（鉄鉱石）＋一酸化炭素→鉄＋二酸化炭素

しかし、この鉄は多くの炭素をふくんでいるので、そのままでは使うことができません。そこで、さらに酸素を吹き込み、炭素を燃やして取り除いているのです。
このように、鉄にふくまれる炭素の分量を調整することで、いろいろな硬さや粘り気の異なる鉄をつくり出し、さまざまな材料として利用しています。
アルミニウムは、最初は酸素と非常に強く結びついているアルミナ（酸化アルミニウム）とカリウムという金属によって還元して取り出しました。

酸化アルミニウム＋カリウム→アルミニウム＋酸化カリウム

こうしてやっと取り出したアルミニウムは金よりも高価だったのです。今では溶融塩電解という電気エネルギーで分解して取り出す大量生産法が確立しているのでアルミニウムは安価になっています。

結びつきの強い方が相手と結びつく

略奪愛
オレよりそいつの方がいいのか〜！
酸化鉄
ゴメンなさい！鉄さん。この人とは私、運命を感じるの…
酸素
一酸化炭素
あんなクズ鉄、別れろよ
こちらの方が結びつきが強い

鉄の場合では、酸化鉄は［鉄と酸素の化合物］ですが、酸化鉄（Fe_2O_3）から鉄（Fe）を得るには酸素（O）を取り除かなければなりません。

そこで登場するのが一酸化炭素（CO）です。

一酸化炭素は酸素を欲しがっています。酸素を貰えれば安定な二酸化炭素（CO_2）になれるのです。そこで酸化鉄で鉄と結びついている酸素を奪ってしまいます。

それができるのは鉄と酸素の結びつきよりも一酸化炭素と酸素の結びつきのほうが強いからです。酸化銅と水素、炭素の場合も銅と酸素の結びつきよりも水素と酸素、炭素と酸素のほうが結びつきが強いからです。

これは恋愛している男女に、もっとずっと魅力的な人が現れると新しい男女関係ができるのと同じです*。

ここが一緒！

鉱石の金属酸化物から金属を取り出すには結びついている金属と酸素から酸素を取り除くことが必要です。そのためにその金属よりも強く酸素と結びつく還元剤と反応させます。これは男女関係で考えてもいいでしょう。

＊注：男女関係は一筋縄ではいきませんのでいつもいえる話ではありません。

「ヤモリが天井に張りつける」ことは「接着剤」のしくみで説明できます!

「ヤモリの足と窓」
「割れたお皿同士をくっつける接着剤」
くっつけー
ボンド
どちらも
分子の引き合う力が働いている

世界中に生息しているヤモリ

ヤモリは世界で約650種おり、多くは熱帯、亜熱帯に、一部は温帯に分布しています。日本では北海道以外に広く分布しており、ニホンヤモリをふくめて10種ほどがいます。

ニホンヤモリは単にヤモリとよばれることもあります。

ニホンヤモリなど多くの種は人家や周辺の林に集団ですみつき、春先から秋の終わりにかけて灯火の周りに集まって、昆虫類を捕らえています。冬は木の隙間などでひっそりと暮らしています。

ニホンヤモリは全長 10 ～ 14 cm で、体色は灰色や褐色、不鮮明な暗色の斑紋が入っています。指は５本で、葉状をなし、鋭い爪を備えています。

ヤモリが天井を歩けるのは？

スパチュラ便利～♡
フライ返し♡

ヤモリは、つるつるのガラスにぴたっと張りついたり、天井で逆さまになっても落ちません。

ヤモリがそんなことができるのは、足の裏に秘密があります。ヤモリの足の裏には、趾下薄板《しかはくばん》と呼ばれる弾力性のあるひだが十数列並んでいます。趾下薄板には、長さ 0.1 mm サイズの剛毛が何百万本も生えており、その先端はさらに細かい毛が生えています。その毛の先っぽは、無数の小さなへら状になっていて「スパチュラ」と呼ばれます。スパチュラは小さなフライ返しのような形をしています。

ヤモリが弾力のある足を天井に広げると、天井との間で弱い電気的な「ファンデルワールス力」という「分子間力」が働いてくっつき合います。

ここで「分子間力」について少し説明しておきましょう。

分子間力は「分子と分子の間に働く力」です。分子からできた物質が固体や液体になるのは、分子間に引き合う力が働いて

ギャー!
バタン
ファンで〜す
ダダダダッ
わ〜留守…
ファンデル
ワールス

いるからです。もし、分子どうしに引き合う力がなかったら、分子は、常温でも相当の速さで熱運動をしているため、分子どうしはバラバラに離れて、気体の状態にしかならないでしょう。

分子間力には「水素結合」、「極性にもとづく力」、「ファンデルワールス力」などがあって、分子間の引力の強さは、次の順です。

水素結合＞極性にもとづく力＞ファンデルワールス力

このなかでファンデルワールス力は、すべての分子どうしの間に働いています。

だから私たちのまわりの固体や液体を見たら、その分子が分子間力で引き合っていることをイメージしてみましょう。水は水素結合という分子間力で結びついています。油や紙、繊維、プラスチックは分子がファンデルワールス力で結びついています。

さてヤモリが天井に張りつく話に戻ります。

ヤモリが弾力のある足を天井に広げると、くっつくのに最適の角度でスパチュラが天井の表面に咬み合わさり、スパチュラと天井の間に分子間力が働きます。

1本のスパチュラの分子間力はごくわずかですが、ヤモリには20億ものスパチュラがあるので、自分の体重を支えられるのです。1本の足の裏が天井についているだけでも体重を支えて落ちないほどです。

天井から足の裏を離す時には、スパチュラの角度を少し変えてやるだけ。それで分子間力が消えます。

接着剤ですべすべの物がくっつくのは…

物と物とを接着するには接着剤を使います。

接着が起こるためには、まず接着剤が被着体表面をぬらし、広がることが必要です。木工ボンドでプラスチックが接着しないのはプラスチックが木工ボンドをはじいてその表面がぬれないからです。

次に接着剤が固まる必要があります。接着剤はぬって固めてくっつきます。

接着剤がなぜ接着するのかについて、接着剤が表面の凸凹に入り込んで「錨《いかり》を下ろす」からだと考えられましたが、すべての接着剤についてはいえませんでした。表面がすべすべの物でも接着できるからです。現在では、接着に最も寄与しているのは「分子間力」だと考えられています。

ここが一緒！

「ヤモリが天井に張りつける」のも「接着剤で物を接着できる」のも弱い電気的な「ファンデルワールス力などの分子間力」が働いているためです。

「紙おむつの高分子吸収剤」は「寒天やゼラチンのゲル」で説明できます！

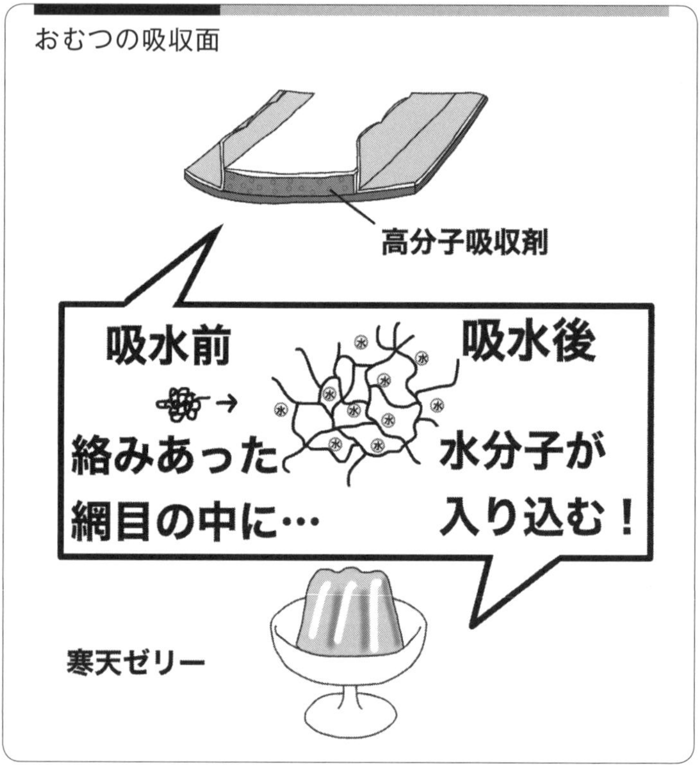

ぷるぷるのところてんの元は海藻

「寒天」の原材料は天草《てんぐさ》という海藻です。天草は、赤褐色の海藻ですが、何度も何度も天日に干していくうちに退色して、白い半透明の寒天になります。また、天草は寒天だけでなく「ところてん」の原料としても使用されています。

寒天の成分は、原料や製造法によって多少違いますが、ふつうは約70%のアガロースとよばれる糖がたくさん連なった化合物（多糖類という）と、約30%のアガロペクチンという別の多糖類からできています。

寒天は冷水には溶けませんが、熱水にはすぐ溶けます。1〜2%溶けたところで加熱をやめ、32〜39℃まで温度が下がると、いわゆる「寒天状」になります。化学的にはこの状態をゲル状（あるいはゲル状態）といいます。ゲル状になることをゲル化といいます。この特性を利用して羊かんやゼリーなどの食品に広く利用されています。

寒天同様ゲル状になる物質に「ゼラチン」があります。寒天と見かけは似ていますが多糖類ではありません。ゼラチンをつくっているのは動物の軟骨や皮や腱などにふくまれているコラーゲンというタンパク質で、たくさんのアミノ酸が連なって巨大分子になったものです。

ゼラチンも熱水に3〜4%溶かしてから10℃ぐらいに冷やすと、ゲル化します。お菓子の粘性を増すための食品添加剤や、止血剤などに広く使われています。

なお、ジャムやママレードもゲル状ですが、これらはペクチンという化合物です。リンゴの果肉や甘きつ類の果皮にはペクチンが多くふくまれているので果物からジャムがつくられるわけです。ペクチンの主成分は、Dガラクチュロン酸という一種の酸性の糖で、これがたくさん連なってペクチンを形成します。食品のゼリーには、寒天のほかに、ペクチンもよく使われます。豆腐、こんにゃくもゲル状の食品です。

これらの化合物はみな大きい分子で、網目状につながって、ところどころに水になじみやすい構造（親水性基）をもっています。この大きい分子についている親水性基の間に、水の分子がはまり込むと、個々の分子は自由に動きにくくなって絡まってしまうため、水分の割合が多いのに、弾力性のあるゲル状態ができるのです。

紙おむつに紙が使われてないなんて…
知らなかったー!!
私のおつむは・どうにかなりそう

紙おむつのしくみ

実は紙おむつには紙は使われていません。紙おむつは、３層構造をしていて､肌に直接触れる層はトップシートで､不織布（繊維を織らずに絡み合わせたシート状で紙のような感じのもの）です。水をほとんど吸収しない不織布は接触面をサラサラな状態に保ち、キャッチした尿を隣の高分子吸水剤に送ります。

真ん中にあるのが高分子吸水剤で尿を短期に吸収してゲル化します。一番外側はバックシート（防水シート）で、尿や臭いを外にもらさないための層ですが、水蒸気は通れる小さな穴が開いています。

水を最大限に保持するために

高分子吸収剤は、高吸水性高分子、吸収性ポリマー、高吸水性樹脂ともいわれます。このような高分子吸収剤にはアクリル酸ナトリウムなどを重合した（たくさんつなげて）ポリアクリル酸ナトリウムなどがあります。

高分子吸収体の分子は立体的な網目状の構造をしています。この網目は水が存在していない時は絡みあっていて小さくなっています。

ところが、この網目に水を加えると、網目の中に水分子が入り込んでいきます。そして、水が入ったかわりに、網目から陽イオンが出てきます。網目の中には陰イオン（ポリアクリル酸の -COO^- ）が残るのですが、陰イオン同士が電気的に反発するため、網目構造がさらに広がります。すると、さらにたくさんの水を吸収することができるようになります。

高分子吸収剤の最大の特長は吸水性と保水性です。脱脂綿などの吸水量が、自重の 10 ～ 20 倍程度なのに対して、高分子吸収剤の場合は、純水で自重の 200 ～ 1000 倍、尿の場合でも 30 ～ 70 倍と、極めて高い吸水能力をもっています。尿などの排泄物には塩分が含まれているので吸水性が悪くなります。また、脱脂綿やティッシュでは一度吸水した水分はしぼれば出てきますが、高分子吸収剤では、外から多少の圧力がかかってもほとんど出てこないなど、高い保水力も併せもっています。

高分子吸収剤は、多くの水を保持することができるので、植物の栽培に利用したり、芳香剤の容器に入れたりするなど様々な方面に利用されています。

ここが一緒！

「おむつの高分子吸収剤」は「寒天やゼラチン」同様「水を取り込んでゲル化」しますが、それらよりも高い吸水性と保水性をもっています。

生物のおもしろさ

4

「ご飯のこびりつかないしゃもじ」は「サトイモの葉」が水をはじくことで説明できます！

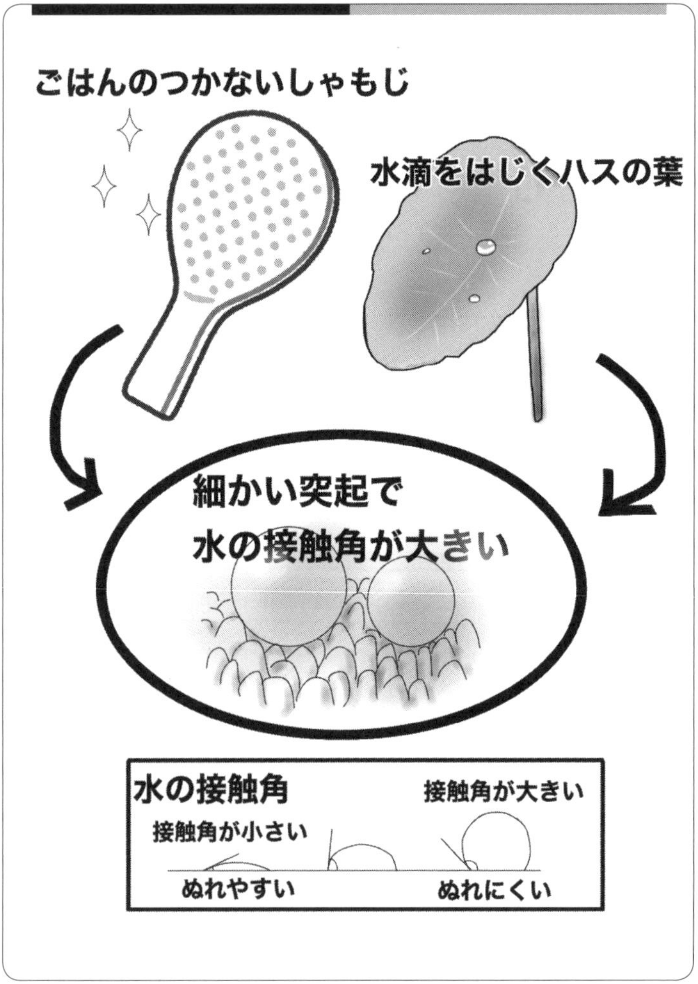

サトイモやハスの葉の上にある水玉の重要な役割

葉は〜！
葉の表面の『気功』で！
ちがいます
『気孔』です!!

サトイモやハスの葉には水をはじくという特徴があります。葉に雨が降っても葉の全面が雨水に浸ってしまうのではなく、雨水は水玉状になって転がるので葉はぬれません。

これはサトイモやハスの葉の表面に気孔が分布していることが関係しています。私たちは口や鼻から呼吸して生きていますが、植物は、葉の気孔から酸素を取り入れ、二酸化炭素を出している呼吸を行っています。もし葉の表面が雨水でおおわれると呼吸できなくなります。

葉の上の水玉は転がりながら、光合成に必要な太陽光の邪魔になる汚れも取り除いてくれます。

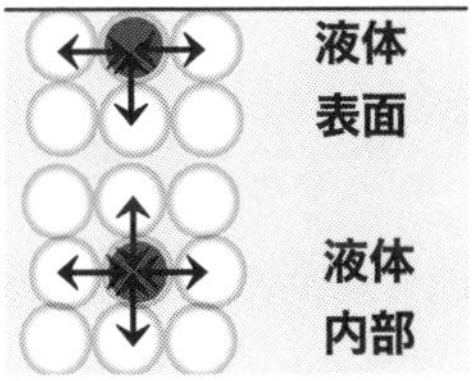

液体表面
液体内部

液体は表面張力で丸くなる

水など分子からできている液体には、お互いの分子同士に分子間力という力が働いて引き合っています。

液体内部の分子は、まわり（上下左右など）の分子との間で分子間力で引き合います。まわりから等しく分子間力を受けています。

ところが表面にある分子は、どうでしょうか。

図で液体分子は○で示しました。図の●分子に着目してみましょう。表面の分子は左右および下方の分子と互いに引き合っていますが、上には引かれていません。上に空気があったとしても空気の分子と引き合う力は小さいので、表面の分子では内側に引かれる力が大きくなります。
　このことが表面張力のもとになります。
　無重量状態に置かれた水は、球状になります。なお、雨粒は空気中を落下するので雨滴の底面が空気の抵抗で凹むので、肉まんのような形をしています。

水をはじく度合いは何で決まる？

　液体を固体表面に落とすと、表面張力で丸まると共に固体表面とどのように接触するかが違ってきます。
　水をはじく度合いは、水滴が、固体表面にどのように接触するかを示す接触角で決まります。
　水をはじく性質を撥水性《はっすいせい》といいます。接触角でいうと90°以上を撥水性、110°から150°だと高撥水性、150°以上だと超撥水性とされています。
　物質によって水との接触角が違って、たとえば、清浄なガラス表面を水がぬらす場合は、水はガラス面上で広がることになり、接触角は10°以下となります。一方、フッ素樹脂の表面の水滴の場合には、水滴は丸まるようになり、接触角は110°になります。

超撥水性をもつサトイモやハスの葉

　サトイモやハスの葉が超撥水性をもつのは、葉をつくる物質によるというより、表面のミクロな構造によります。葉の表面を拡大すると、びっしりと毛が生えて

オカズがサトイモとハスの葉っぱとは、
しゃもじいな……
(ひ)

います。水滴は毛の先端にピンポイントでくっついていますが、大部分は毛の間の空気のクッションで支えられています。

つまりミクロには凹凸があったほうが撥水性が高まります。

このようなミクロな構造をもった、ご飯がこびりつかないしゃもじが販売されています。従来から凹凸構造をもったしゃもじがあったのですが、このしゃもじは、突起の上にさらに小さな突起をつけた、雪だるまのような形に加工したのが特徴となっています。上についている小さな突起部分は直径 0.6 mm です。サトイモやハスの葉同様、凸は小さな突起部分、凹は空気です。ご飯にその小さな突起部分がピンポイントで触れるため、しゃもじにご飯がくっつきにくいのです。水をはじきやすいので炊きたての新米や水分を多く含んだやわらかいご飯でも、効果は発揮されます。

ぬれない傘「ヌレンザ」

ハスの葉のしくみをヒントにぬれない傘「ヌレンザ」を福井県の傘メーカーが開発しました。ハスの葉をイメージして、生地自体に撥水性をもたせることを目指しました。

超高密度ポリエステルを用い、縦糸と横糸の織り方を工夫することで、ハスの葉の凹凸を再現しました。従来より撥水性が高まり。また繊維への防水コーティングではないので、その効果が長持ちするという利点が生まれました。

ここが一緒！

「ご飯のこびりつかないしゃもじ」も「ハスの葉」もミクロな凸凹で撥水性を発揮しています！

「ハトの首の緑や紫のキラリとした輝き」は「シャボン玉の色」で説明できます！

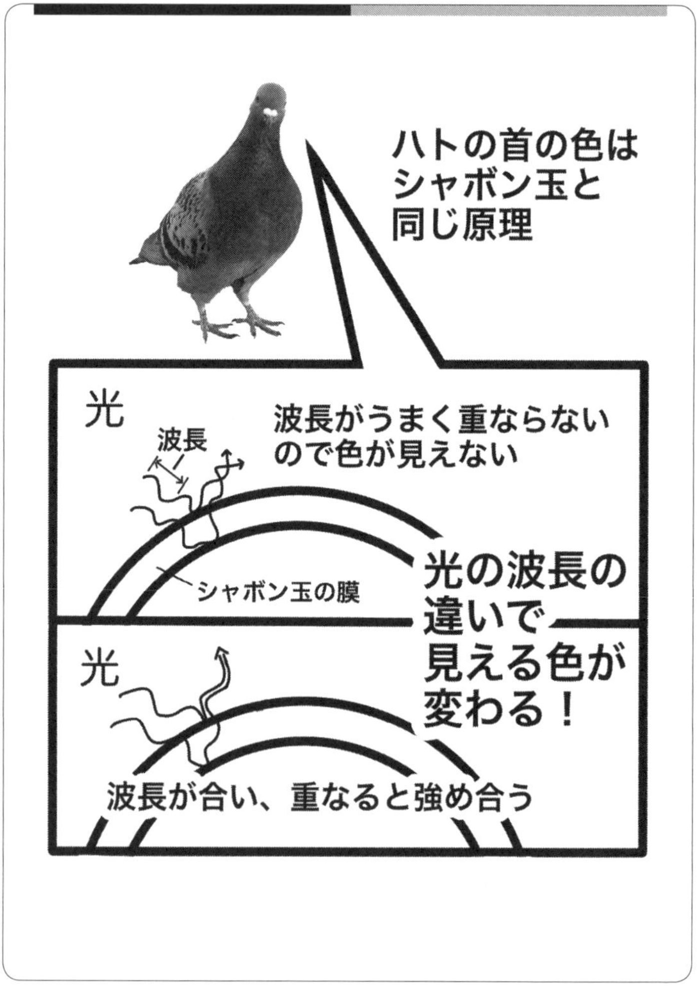
ハトの首の色は
シャボン玉と
同じ原理
光
波長
波長がうまく重ならない
ので色が見えない
シャボン玉の膜
光の波長の
違いで
見える色が
変わる！
光
波長が合い、重なると強め合う

公園や駅のホームでよく見かけるドバト。体の色は灰色だと思っている人が多いと思いますが、よく見てみると首元は緑色に輝いています。ハトがちょっと動いて、見る角度が変わると、一瞬にして紫色に変わります。どのようにして発色しているのかそのしくみを見てみましょう。

“本当の”ハトの首は何色？

ハトの首から胸にかけての羽根は、その表面の薄膜に反射する光が“干渉”するため発色します。このように、それ自身の色ではなく、そのつくりによって発色して見える色のことを「構造色」といいます。

ケンカするなよ…
干渉するなよ
オマエこそ！
光の干渉

“光が干渉する”とはどういうことでしょう。

太陽や電灯の光など私たちの身の回りの光には、いろいろな色の光が混じっています。この光が非常に薄い膜に当たると、膜の上面で反射する光と下面で反射する光が、膜の厚さによって、強め合ったり、弱め合ったりします。

このように、2つの波が重なって、光が強め合ったり弱め合ったりすることを「光の干渉」といいます。

目に見える光の色の違いは、光の波長の違いです。膜の厚さによって特定の波長の光が強くなります。それで、膜に色がついているように見えるのです。膜の厚さが変わると、強め合う波長が変わるので、膜の色が変わります。

また、斜めに光が当たると、膜の中を進む光の距離が長くなるため膜が厚くなった時と同じように膜の色が変わります。見る角度によって色が変わるのはこのためなのです。

シャボン玉の色の変化

膜の厚さの変化と
見る角度の…
違い!
そして ハッとした ハト
ハッ!!
そうなの?!
虹色〜!

シャボン玉を飛ばすと、一つひとつ色が違います。また、ひとつのシャボン玉でも、場所によって色が違い、見ている間にも色が変わります。これらの色の変化は、シャボン玉の膜の厚さの変化と、見る角度の違いによるものです。

シャボン玉は、石鹸などの界面活性剤と水でできた薄い膜でできています。重力の影響でシャボン玉の膜は、下の方が厚くなります。また、シャボン玉ができた瞬間から膜の中の水が蒸発するため、しだいに薄くなっていきます。

可視光線は、赤→黄→緑→青→紫とだんだん波長が短くなります。シャボン玉の膜が厚いうちは、可視光線の波長の範囲で干渉が起きないので色は見えません。膜が薄くなり色が見え始めると膜の厚さの変化に伴って、赤→黄→緑→青→紫と色が変わり、さらに薄くなると干渉が起きなくなり色は消えます。

一方、シャボン玉は球形をしているので、中心部から周辺部へ行くほど斜めに膜を見ることになります。それで、同心円状の連続した色の変化を楽しむことができます。

身近で見られる“ 構造色 ”

水の表面に浮いた油膜の色の変化も、薄い油膜による光の干渉によります。光の干渉は、薄膜による場合の他に、微細な溝や突起、微細な粒子、何層にも重なった膜などによっても起きます。また色の変化は、屈折や回折、散乱などの物理現象でも起きます。

CDやDVDの裏面は、光の当たり方や見る角度によって虹色に見えます。裏面に、デジタル情報を記憶するための微細な凹凸が作られているためです。この微細な凹凸によって光の干渉が起きCDやDVDは虹色に見えます。

アワビなどの貝の内側も虹色の光沢をもっています。貝の内側は、炭酸カルシウムを主成分とする薄い膜（真珠層）が何層にも重なっています。それぞれの層で反射する光が干渉して虹色の光沢が見られます。伝統技法の螺鈿《らでん》は、この真珠層を切り取って、漆地や木地の彫刻された表面にはめ込む技法です。

国宝の玉虫厨子《ずし》には、玉虫の翅《はね》が使われていて金属光沢に富んだ色彩がみられます。甲虫類にこのような色彩がみられるのは、甲虫類の翅が何層ものキチン質が重なってできているためです。

生きた宝石といわれるモルフォ蝶は、青色に美しく光る翅をもっています。しかも、光の干渉で青く見えているのに、ほぼどの角度から見ても青く光るという不思議な構造色です。トヨタのレクサスにはモルフォ蝶の構造色を応用した青色に光る顔料で塗装されたモデルがあります。

ここが一緒！

「ハトの首元の色」も「シャボン玉の色」も、薄膜で反射した「光が干渉して作り出した色」です。

生物のおもしろさ 6

「無痛注射針」は「蚊が人を刺す」ことで説明できます!

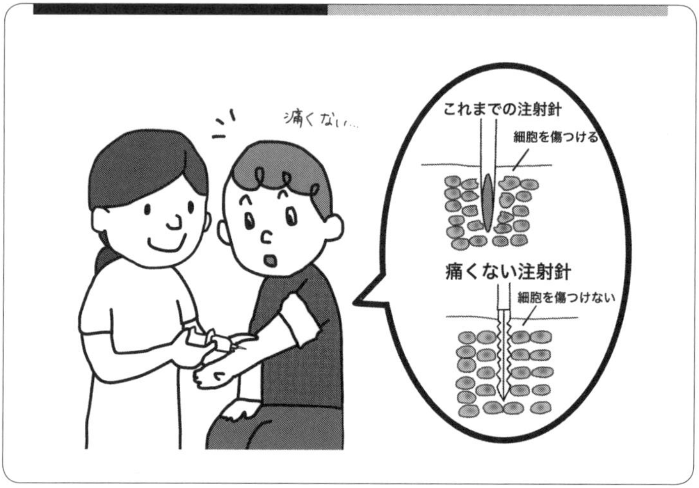

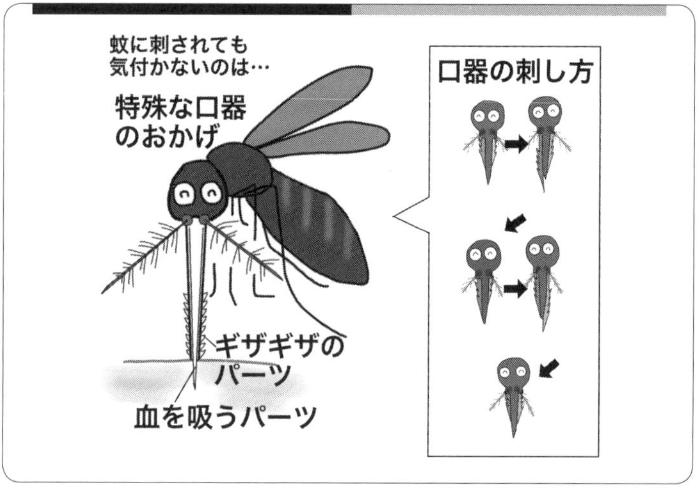

静かに接近し、血を吸う蚊

どこからともなく接近し、ヒトの皮膚に針を刺して血液を吸っていく蚊。小さな蚊ですが、実は人間にとって最も危険な生物です。蚊に刺されて、マラリアやデング熱、日本脳炎などを発症し亡くなる人が毎年70万人ほどもいるのですから。

刺された時に、針で刺された時のようにチクリと痛ければ、血を吸われる前に気づくのですが、そうはいかず、刺されてから気づくのが厄介なのです。

蚊に刺されても痛くない理由

蚊は獲物とする動物の匂いや排出する二酸化炭素・熱を敏感に感じ取って接近してきます。そして皮膚から血液を吸い取るのです。刺されるとはいうものの、ハチの針とは違って、口で吸い取るわけです。ところが、その口は単純なストローのような構造ではありません。

チョウなどのように蜜を吸う昆虫の仲間は、二本の口器の間を蜜が毛細管現象で上がっていくのを利用していますが、蚊の口器は、相当複雑です。

血液を吸い上げるための針とそれをカバーする大顎、もう一つが血液が固まらないように唾液を注入する針。さらにすごいのがノコギリのような刃が二枚あることです。これで皮膚や血管を切り裂いてから針を差し込んでいるのです。ところが、このギザギザの刃が痛みを感じさせない最大の理由になっています。

蚊が満腹になるほど血液を吸ったとしてもその量はわずか２mgほどです。一度に吸うわけではなく、何度かに分けて吸うので、その時に少し吐き戻された他の血液に含まれるウィルスを広げることになってしまいます。

自分の体重ほどの血液を吸うので、動きも鈍くなり、叩き潰される確率が高くなります。血液の栄養分を濃縮するために、水分を尿として出し、そうやって養分を濃縮し蓄えます。これはメスの産卵の準備です。つまり、メスしか吸血しないということですし、産卵期以外やオスは植物の蜜などを吸って生活しています。

産卵期以外や、オスは
蜜を吸ってるんだけで、
秘密にしてね
イメージあるからさ…
『自意識蚊剰』

“憂鬱な注射”のイメージを変える！

ただでもいくのが嫌な病院ですが、あの歯医者のキーンという音と注射だけは無理という人も多いはずです。注射の針をブスリと刺されるのは、どんなに熟練の技を持つ看護師さんにやられても痛いものです。

そんな注射器の歴史を紐解くと、1844年に中空針が発明されたことから始まります。針だけを使って、鎮痛剤を皮下に注入したといわれています。きっと当時の針は太く、大変痛かったに違いありません。1852年には、注射器が発明され、より細くなった中空針で注入できるよう進歩しました。しかし、中空の針なので、普通の針よりも太

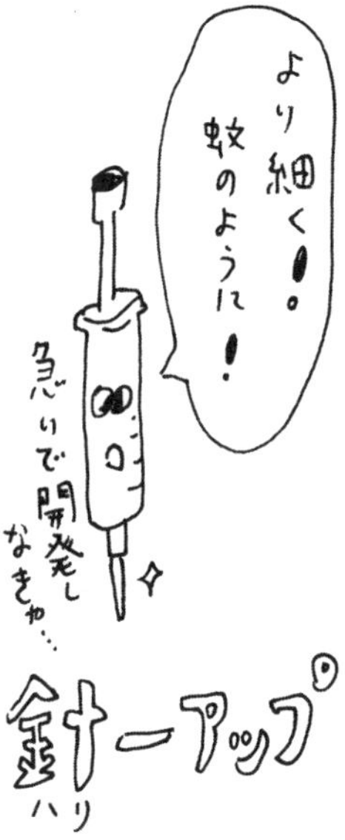
より細く！蚊のように！
急いで開発しなきゃ…
針《ハリ》ーアップ

くなり、痛みもやはりそれなりに伴います。

ところが、糖尿病の患者さんのように血糖値のチェックをするために、1日に何度か自分で針を刺して血液をとって調べる必要のある人がいます。そんな人たちのために、少しでも痛さを感じない針をつくれないかとさらなる工夫が始まったのです。

そこでヒントになったのが蚊の口器の構造です。折れて体内に残ると困るので、体内に残っても無害なポリ乳酸というプラスチック製の、ギザギザ形状の針を生み出したのです。これで痛みが随分軽減されましたが、この針には難点がひとつあります。糖尿病の患者さんが採血するための針なので、中空である必要がないのです。

今は世界各国の医療機器メーカーが、無痛で薬剤注入ができる中空針の開発を行っています。「より細く」「蚊の口のように」をテーマに、今までの製作機器とは全く違うレーザー加工技術なども導入され、近い将来完璧な無痛針が生み出される可能性が高まってきています。

ここが一緒！

「痛くない注射針」も「蚊」も「ギザギザ形状の針」で刺すことで痛みを感じさせない工夫をしている！

「長いトンネルづくり」は「フナクイムシの巣穴づくり」で説明できます！

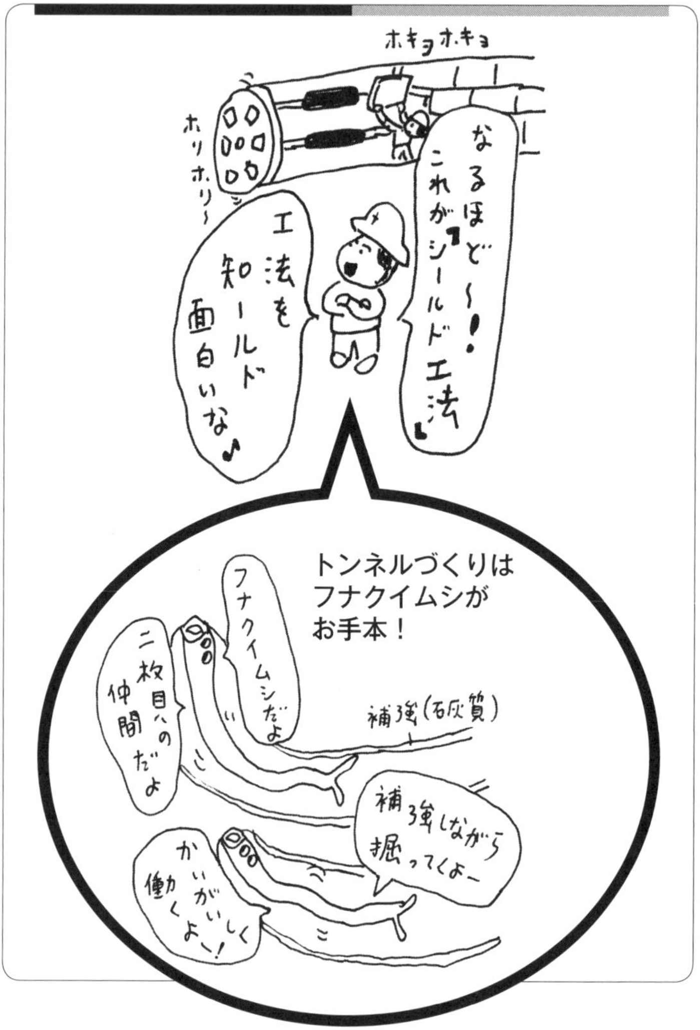
ホキョホキョ
ホリホリ〜
なるほど〜! これが「シールド工法」
工法を 知ーるド 面白いな♪
トンネルづくりは
フナクイムシが
お手本！
フナクイムシだよ
二枚貝の仲間だよ
補強(石灰質)
補強しながら掘ってくよ〜
かいがいしく働くよ〜!

世界各地でつくられてきたトンネル

昔から、険しい山道をショートカットしたり、鉱物を掘るために、土中に穴を開けてつくられてきたトンネル。現在は、「計画された位置に所定の断面寸法をもって設けられた地下構造物で、その施工法は問わないが、仕上がり断面積が2㎡以上のものとする」というのがトンネルの定義です。

地形の関係で、直線的な道路や鉄道をつくるのが難しい時、地下や山、今は海底にまでトンネルを掘り進めて直線化します。そうすると高速化され、大量輸送が実現できるだけでなく、事故も減少させられます。そのために、人間は世界各地で様々な方法でトンネルをつくってきました。

失敗続きのトンネルづくり

トンネルの歴史を紐解いていくと、紀元前にまで遡ります。灌漑用の水路としてトンネルをつくったり、川を横断するための地下トンネルをつくったりしました。

現在のように、自動車や列車があったわけではなく、昔の移動手段はもっぱら船です。川の流れをショートカットするための運河トンネルをつくったのです。ノミやツチを使って、人間の力で掘り進むトンネルのつくり方は、大変効率が悪く、奴隷を酷使してつくったようです。

やがて火薬が発明され、それを使ってトンネル工事をするようになりました。効率は圧倒的に上がりました。しかし、トンネルの規模が大きくなればなるほど、作業途中での倒壊や浸水による被害も大きくなります。

ロンドンを縦断するテムズ川の地下にトンネルをつくる計画が持ち上がりました。1798年です。すでに蒸気機関も完成していて、多少の湧水はポンプで汲み出すことも可能になっていました。掘り進み、周囲を丈夫な板で補強しながら掘り進みましたが、あと40 mほどで貫通できるという時に、天井が抜け、川の水が大量に流れ込み、トンネルの計画は中断されてしまったのです。

フナクイムシをお手本に！

海の生物の中には不思議な生態を持つものがいます。たとえばカモメガイという軟体動物（二枚貝）の仲間は、からの一部にまるでヤスリのような硬い部分を持っています。体全体を回転させながら岩石に穴を開けてその中で生活しています。

ツメタガイという軟体動物（巻貝）は、歯舌という部分をアサリなどの貝殻に当てて丸い穴を開け内部を食べてしまいます。

そして本命はフナクイムシです。見た目はミミズなどのように長い体があるように見えますが、実は軟体動物で太いものでも2.5 mm程度の体を持つ二枚貝の仲間です。カモメガイのように、ヤスリ状のものがついた殻を回転させて、海中にある木材に孔《あな》を開けます。共生しているバクテリアが木材の主成分であるセルロースを分解する酵素をだし、それを栄養源として生活しているのです。小さな体ですが、1か月ほどで水中にある木の杭を損傷してしまうほどのパワーを持っています。

水中にある木材に開けた穴を観察すると、膜状の石灰質の物質で覆われています。ただ孔を開けるわけではなく、同時に孔の内側の壁を補強し浸水を防いでいるのです。

テムズ川の地下にトンネルを絶対に掘りたいと考えていたイギリスのマーク・ブルネイは、湧水で何度も失敗したトンネルの掘削に、フナクイムシ方式を生かそうと考えたわけです。軟弱な川の地盤を石灰質の物質ではなく、鉄の枠組みで補強しながら掘り進む「シールド工法」を考え出したのです。円筒形の鉄の筒を地面に押し込み、内側を掘り、さらに押し込んで土が出た部分をレンガで覆いトンネルにしていきます。簡単そうに響きますが、テムズ川の地下を横断するには大変な苦労もあり、17 年もの歳月がかかりました。

ロンドンの地下鉄もシールド工法

世界で最初に地下鉄が開業したのはロンドンです。最初に地下鉄ができた要因のひとつは、当時世界一の大都市だったロンドンの交通が麻痺状態だったことでした。そこで 1861 年に、地下に鉄道をつくろうという計画が動き出したのです。わずか 3 年後におよそ 5 km の地下鉄が開通しました。これもシールド工法のおかげです。

ただし、当時は電車ではなく蒸気機関車の地下鉄です。想像するのも恐ろしい感じですが、地下鉄の速さは評判でした。

ここが一緒!

「トンネル」の技術は「フナクイムシ」の「内側を補強しながら掘り進める」部分を参考に開発された!

「オゾン層の働き」は「日焼け」で説明できます！

紫外線から地球を守るオゾン層

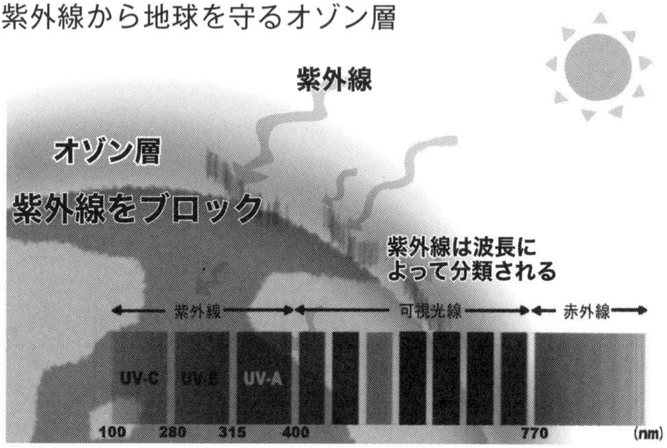

日焼け止めは紫外線から肌を守る

地球には大気が存在し、この大気は約 500 km の高さまであります。そして、大気は上空ほど薄くなり、温度も変化していきます。対流圏は、地上から高さ約 10 ～ 15 km までの大気の層で、対流が活発で上空ほど気温が低下しています。

雲や降水などの天気現象は対流圏で起こります。対流圏より上は、高度と共に気温の低下率が小さいか、逆に上昇するようになります。この大気の層は、対流が起こりにくい成層圏です。成層圏ではオゾン濃度が高く、オゾンが紫外線を吸収して大気が加熱されることが、成層圏形成の主因です。成層圏で、地上からの約 20 ～ 30 k mあたりには、オゾンというガスをたくさん含む「オゾン層」があります。

太陽からの光は、目に見える光だけでなく、物を温める赤外線や生物にとって大変危険な紫外線などが含まれています。

有害な光とオゾン層の役割

UV-A
UV-B
わたしたちUV-Cに比べたら、
ぜんぜんウブな方なのよ～
えっ、そーなのー
カッとしちゃってゴメン
UVカット

オゾン層はどんな働きがあるのでしょうか。

太陽からの光は波長で 400 nm ～ 770 nm あたりを可視光と呼び目に見える光です。770 nm より長い波長を赤外線、可視光に比べ波長が短い 400 nm 未満の光を紫外線と呼びます。紫外線は、波長によって UV-A(315 ～ 400 nm)、UV-B(280 ～ 315 nm)、UV-C(280 nm 未満）に分類されます。

オゾン層は、生物にとって有害な紫外線を吸収し、地球の生態系を保護する重要な働きがあります。

有害な光から肌を守る！

オー、ゾン
ビだ
オゾン層があるから美肌を保てるの♡

紫外線は、皮膚に吸収されると体内のビタミンDをつくるプラス面の他、細胞内のDNA（遺伝子）を傷つけたり、皮膚がんを発症させやすくしたりするマイナス面があります。

生物にとって有害なUV-Cは、オゾン層と大気中の酸素分子によって吸収され地表には届きません。UV-Bはオゾン層で吸収されますが、一部は地表へ到達し、皮膚がんや日焼けを生じさせ、しみやそばかすの原因となります。波長の長いUV-Aは、オゾン層であまり吸収されず地表に到達し、有害性はUV-Bよりも小さいが、しわやたるみの原因になります。

また、日焼けの主な原因のUV-Bは皮膚の奥までは届きませんが、日焼けするとまず肌が赤くなります。これは、紫外線で、皮膚がやけどを起こしている状態です。その後に紫外線から肌を守るために、黒いメラニン色素を皮膚が大量につくり紫外線を吸収します。つくられたメラニン色素は、新陳代謝によって皮膚の表面に浮き上がり、やがて剥がれ落ちるのですが、シミやそばかすのような色素沈着を起こすことがあります。UV-Aは、UV-Bのような急激な変化は起こしませんが、ゆっくりと肌を黒くしていきます。

紫外線対策は、帽子や衣服、日傘の併用が基本です。また、海水浴やハイキングなど紫外線をあびやすい場合は日焼け止め (UVカットクリーム) を使うことも必要です。

日焼け止めは、それらの有害な光から肌を守っています。日焼け止めに配合されている成分である紫外線防御剤の役割は、散乱と吸収の２つに分類できます。

紫外線散乱剤は、紫外線を物理的に反射し、肌に紫外線が届くのを防いでいます。酸化亜鉛や酸化チタンなどの鉱物由来の成分が多く、塗った時に白く見えます。

紫外線吸収剤は、紫外線を化学的に吸収します。合成化合物が多く、その性質上、紫外線のエネルギーを吸収する際に化合物の分子構造が変化し、吸収性能は時間とともに低下します。これは、オゾン層でも同じで、オゾンは不安定であり、消滅と生成を繰り返しています。

オゾン層の増加で生物が地上に進出

今から約35億年前、地球上に生命が誕生しました。最初は、海の中でラン藻類が誕生し、光合成により海に溶けている二酸化炭素を吸収し酸素を出しました。それにより大気中の酸素が増加し、強い紫外線を受けてオゾンができ、上空にオゾン層が形成されました。そしてオゾン層は、有害な紫外線を吸収して地上の生命を守っています。

今日、フロンガスによるオゾン層の破壊は、紫外線の通過量が増えるために問題となっているのです。

ここが一緒！

「オゾン層」は、有害な紫外線から生態系を守っており、日焼け止めも肌を守る上で大切であることが同じ！

「マジックテープ」は「ひっつき虫」で説明できます！

ひっつき虫（ゴボウの種）は針の先がフックのようになっている！

マジックテープは「かぎ」がひっかかってくっつく

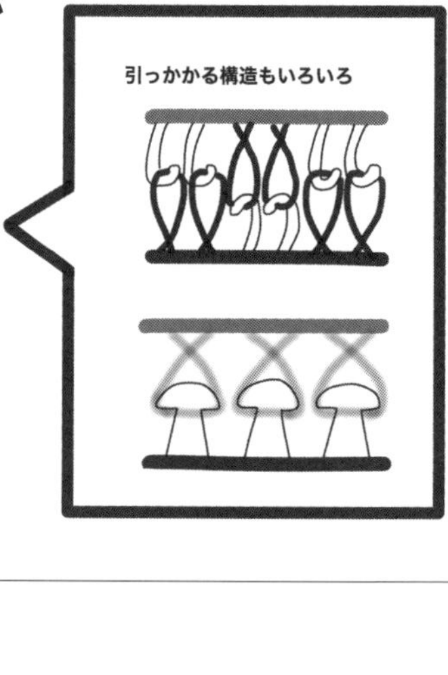
引っかかる構造もいろいろ

マジックテープとは

一般にマジックテープとは、日本では、日本ベルクロ（現クラレ）が「マジックテープ」の商標で1960年から製造・販売しています。現在はその子会社であるクラレファスニング株式会社（旧マジックテープ株式会社）が製造・販売しています。

商標でない名称としては、面ファスナー、パイルアンドフックと呼ばれています。

発明のヒントは意外なところに！

野性のゴボウの種
トゲ
トゲ
なかっ種！
私がいなかったらマジックテープは、
ファ〜！スげーナー!!
ベリッ
ブリッ
マジ？ックテープ

スイス人の発明家ジョルジュ・デ・メストラル(George de Mestral)が、1941年にアルプス登山をした際、自分の服や飼い犬の毛についた「ひっつき虫」が、なかなか取れないことに気づきました。不思議に思った彼は、その実を持ち帰り、さっそく顕微鏡で覗いてみたそうです。すると、その実は無数の鉤《かぎ》でできていて、その鉤が衣服や犬の毛にしっかりと絡みついていたのです。ちなみにこの時の「ひっつき虫」は野生のゴボウの種でした。

このことが契機となり、1948年に研究をはじめ、「ひっつき虫」構造を衣服の着脱しすいファスナーにならないかと考えました。そして1955年に、試行錯誤の末、特殊なナイロン糸を使用した、無数のフックとループでできた面ファスナーを発明したのです。これが面ファスナーの誕生です。

ですから、面ファスナーはもともと「ひっつき虫」をお手本につくったものですから、その構造を知るのに、「ひっつき虫」の仕組みを学ぶというのは原理を知ることになります。なお、面ファスナーのように、自然の生物の構造をまねして工業製品をつくることを「バイオミメティックス」といいます。

「ひっつき虫」がなぜくっつくか

ひっ月虫だよ
月面着陸!
※つきはなすような目

植物たちは子孫を残すために、種々のやり方で、種子をいろいろな場所に広めようとします。

その方法はさまざまで、種を風に乗せ飛ばすもの、はじけて飛ばすもの、水に浮かべて運ぶもの、鳥や動物に食べられて糞として運ばれるもの、その場に落ちるもの、そして、「ひっつき虫」のように人間や動物にくっつくものなど本当に多種多様です。

「ひっつき虫」というのは、ゴボウやオナモミなど、服などにくっつく植物の実や種の総称です。

メストラルがしたように「ひっつき虫」を顕微鏡で見てみましょう。

前ページの写真はゴボウの種ですが、種の先にある針の先がフックのようになっています。この部分が衣服や動物の毛に絡まって、遠くまで運ばれるようです。

実際のマジックテープはどうなっているのでしょうか。

前ページの下の写真を見てください。下の部分はゴボウの種のようなフック（鉤）の部分がナイロンの繊維でつくられています。

また、上の部分は、くっつく動物の毛に当たる部分がループ状（輪）になっています。

触るとチクチクするように感じるフックの部分をＡ面、オスと呼び、ふわふわしているループ状の部分をＢ面、メスと呼びます。

さらに面ファスナーにはいろいろな構造のものが使われています。フリーマジックは、一枚の一面だけでフックとループの両方の働きを持っています。ただ、フックはループよりも低くすることで生地同士が痛まず、糸くずなどがつかない工夫されています。また、マジタッチやマジックハードはフックの部分がマッシュルーム形をしており、ひっかかると簡単に外れないようにできています。

マジックテープマメチシキ

マジックテープのルーツはどうなっているのでしょう。

実は、日本で1960年に2本の布がぴったりとくっつき、着脱が自在な『魔法のテープ』という意味で「マジックテープ」という商品名がつけられたのです。最初にクラレが生産・販売をしましたが、マジックテープ®の名が全国に広まったのはそれより少し遅れて、1964年前回の東京オリンピックに間に合わせてデビューした東海道新幹線です。その客席のヘッドレストカバーのファスナーにこのマジックテープが採用され、一躍注目を浴びました。現在では、面ファスナーの代名詞でもあるマジックテープ®は、クラレの登録商標なのです。

ここが一緒！

「ひっつき虫」も「マジックテープ」も鉤がひっかかることでくっつく！

生物のおもしろさ
10

軽さと強度の両立を目指す「ハニカム構造」は、「ハチの巣」で説明できます！

飛行機のパネルは
「ハチの巣」
のような構造になっている

飛行機のパーツは丈夫で軽量

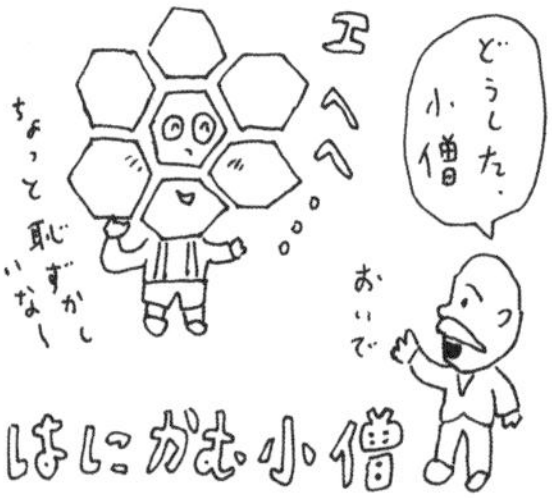
ちょっと恥ずかしいな〜
エヘヘ
どうした、小僧
おいで
はにかむ小僧

ハニカム構造というのは、正六角形や正六角柱を隙間なく並べた構造物です。なぜ他の形でなく六角形なのかを考えてみます。

同じ面積をいろいろな形で囲む時、もっとも周の長さが小さくなるのは円です。ところが大量のパイプを敷き詰めても、必ず隙間が生じてしまいます。平面を埋め尽くすことができる形は三角形、四角形、六角形しかありません。このうち、もっとも周の長さが小さくなるのは六角形です。周が最短であるということは、材料が少なくてすむことになり、当然軽量化にもつながります。

最も強いのは何角形？

強度のみを考えると最も強いのは三角形です。力が加わっても変形しにくいのです。しかし、平面充填させる時、三角形よりも六角形の方が変形しにくくなるのです。それは力が分散されるからです。三角形の場合、ある辺にかかった力は残りの二辺に分散しますが、六角形は五辺に分散するので、それぞれにかかる力は小さくなります。

つまり、軽量で衝撃吸収力を持っているのが六角形で組んだハニカム構造ということになる訳です。

ハニカム構造をうまく活用している代表的なものは飛行機のパーツです。飛行機には強度が求められます。丈夫な金属をふんだんに利用して飛行機を作れば、当然強度は増します。ところが同時に重量も増すことになり、飛行機に求められるもうひとつの「軽量化」とは反することになるのです。

このようなことから飛行機の機体のパネルなどには、ハニカム構造のパネルの表面を平らな板で挟むサンドイッチ構造を持たせているわけです。

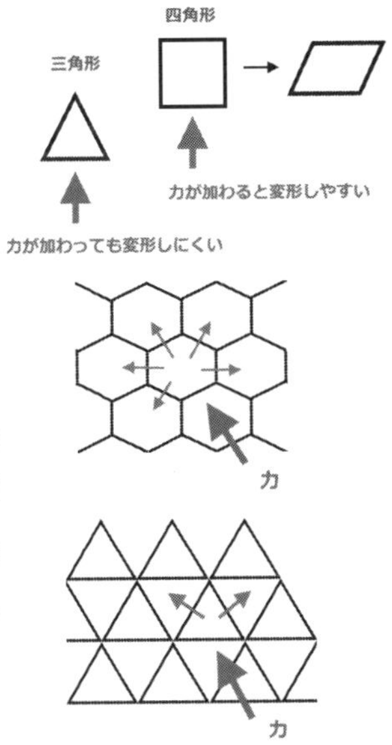

巣の壁の厚さは0.073mm

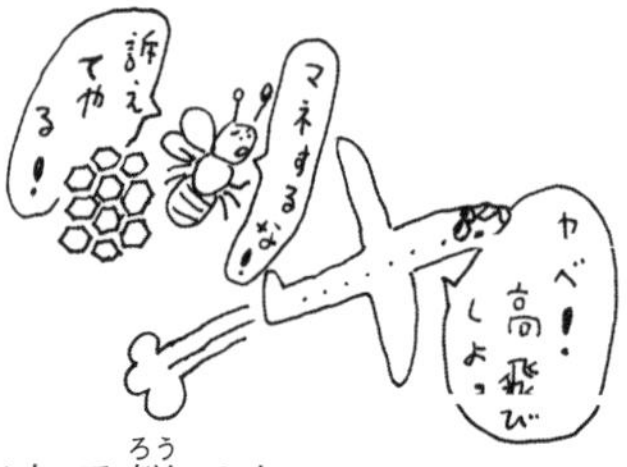

訴えてやる！
マネするな！
ヤベ！高飛びしよっ

ミツバチの巣はミツロウという防水性のある素材でできています。ミツロウは、ミツバチ（働きバチ）の腹部にある分泌腺から分泌される蝋《ろう》です。

大量の働きバチがいるので、大きな巣をつくることができますが、一匹のハチがつくり出すことができるミツロウの量はわずかです。最も少ないミツロウで巣をつくるには、六角形（六角柱）が最適です。

さらに、空間を有効活用するように、ミツバチの巣は両面に巣房がついています。よく観察すると六角柱を単純に両面に敷き詰めたのではなく、少しずらして敷き詰めてあり、先端部は六角錐になっているのです。これによってさらに強度を増しています。

ミツロウ 100 g で 8000 部屋もの巣房ができます。壁の厚さは多くの場合 0.073 mm しかありません。

このように薄く蝋という柔らかい素材ではありますが、1 kg のミツロウで作られたハニカム構造の巣は 22 kg もの物体を支えることができるという調査結果もあるほど頑丈なのです。

昔から蜜を利用させてもらっていた人間が、その巣の頑丈さを参考にして、様々な場面に応用していることがわかります。

ここが一緒！

「ハニカム構造」も「ハチの巣」も強度と軽量化を両立する「六角形」が活用されている！

理系で読み解く日用品の大疑問

4章

「霜、樹霜、ダイヤモンドダスト」は「ドライアイスにつく霜」で説明できます!

樹霜

ドライアイス

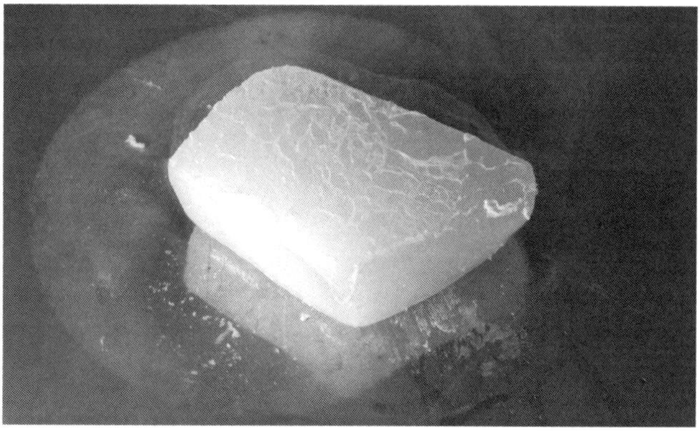

水には3つの姿がある

ばらばら
びゅんびゅん
気体状態の
水分子だよ〜
ビュン

水といったら液体を思い浮かべることが多いと思いますが、固体、液体、気体の3つの状態があります。固体の水を氷、気体の水を水蒸気といいます。

水は水分子という小さな粒子がたくさん集まってできています。

氷では、水分子ががっちりスクラムを組んでいます。

液体の水では、氷ほどがっちりではありませんが水分子どうしは結びついています。氷だと、水分子は自分の場所を動けませんが、液体の水では自分の場所を動ける余裕があります。

水蒸気では、水分子は、一個一個ばらばらです。そして、すごい勢いで飛び回っています。物質が、気体状態の時、その分子は「ばらばらびゅんびゅん」（一個一個ばらばらでびゅんびゅん飛び回っている）です。

氷から水蒸気の変化を見てみましょう。

家庭用の冷凍庫は、約－18℃です。氷もその温度になります。氷を取り出してやかんに入れて加熱すると、だんだん氷の温度が上がっていきます。0℃になると融け始め、水になります。すべての氷が融けるまで、温度は0℃のままです。

氷が融けてしまい、全てが液体の水になるとまた温度が上がり始めます。温度が高くなるにしたがって、目には見えませんが、表面から水蒸気の出かたが盛んになっていきます。そして、100℃になると水中から泡が盛んに出て沸騰が始まり、水はどんどん水蒸気になります。全ての水が蒸発してしまうまで100℃のままです。

この時、やかんのふたの内側には、水蒸気が凝縮（気体から液体になること）して水滴がつきます。やかんの口から水蒸気がどんどん出ても水蒸気は目には見えませんが、やかんの口から少し離れて冷えると、細かな水滴に戻るので、白い湯気となります。

え～！気体？
氷から一気に！
液体は⁉

氷⇄水蒸気の変化もある

先に見たのは氷（固体）→水（液体）→水蒸気（気体）の変化でしたが、冷やすことで、水蒸気（気体）→水（液体）→氷（固体）を見ることもできます。

また水（液体）を経ないで氷（固体）→水蒸気（気体）や水蒸気（気体）→氷（固体）となる変化もあります。

自然界の霜は、「空気中の水蒸気が直接凍りついてできたもの」です。霜は一個一個ばらばらの水分子がくっつき合って結晶になります。

霜の結晶は、“針・ワイングラス・羽毛・六角板・釣り鐘”状に成長します。霜の強力なものが樹霜です。樹木に水蒸気が直接凍り付いてできます。

ダイヤモンドダストは、空気中の水蒸気が直接氷の粒になったもので、その氷の粒がゆっくりと降って太陽の光に反射して、キラキラと光って見える現象です。

ドライアイスを使えば水蒸気→氷が簡単に見られる

家庭でも冷却剤に使うドライアイスが入手できれば簡単に霜を見ることができます。

ドライアイス　マメチシキ

ドライアイスは冷凍食品やアイスクリームを買うとついてくることがあります。スーパーマーケットによっては保冷用にドライアイスの機械を設置しているところがあります。

ドライアイスの「ドライ」は「乾いた」、「アイス」は「氷」という意味です。名前の由来は、世界で初めて大量生産に成功したアメリカのドライアイス・コーポレーションという会社がつけた商品名でした。

ドライアイスの正式名称は「固形炭酸」。固形炭酸というのは、炭酸ガス、つまり二酸化炭素の固体です。

ドライアイスは白色の固体なのに、おいておくと液体にならずに、気体の二酸化炭素になって小さくなっていきます。－80℃近くととても冷たいので、素手で扱ってはなりません。凍傷に注意です。

ドライアイスを空気中で放置すると、そのまわりにヒゲのようなものが付いてきます。これは「氷」です。空気中の水蒸気が直接氷になってつくというのは自然界の霜のでき方と同じです。目の前で霜の成長が見られます。

ドライアイスで冷やした金属缶の中に息を吹き込むと、ダイヤモンドダストをつくることもできます。

ここが一緒！

「霜、樹霜、ダイヤモンドダスト」は「ドライアイス」によって空気中の水蒸気が直接凍りつくことと同じ！

日常にある
科学

2

「雲のでき方」は「スプレー缶から噴き出した気体が冷たくなること」で説明できます！

雲のでき方

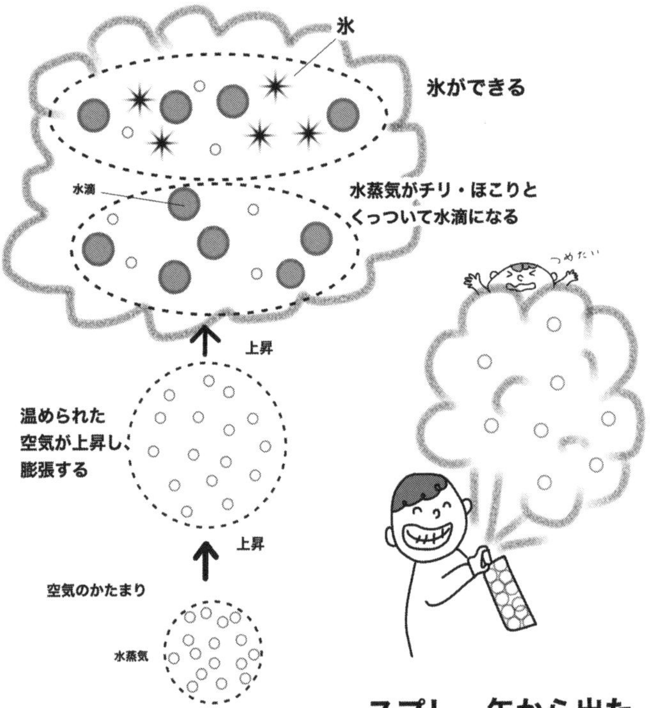

スプレー缶から出た
気体は膨張し、
温度が下がる

雲はどのようにできるのか？

空気中にふくまれている水蒸気は、水の分子が見えたとしたら、ばらばらの水の分子がびゅんびゅん飛びまわっていることでしょう。

このような空気のかたまりは、冷えると水蒸気の一部が水蒸気でいられなくなり、ばらばらの水分子がくっつきあって集まり、液体の水滴に変わります。

つまり、空気中の水蒸気が空で冷えて、小さな水滴になったものが「雲」なのです。空高くでは氷の粒でできています。

水蒸気が冷えて水滴になる時には、空気中のチリなどが芯（凝結核）になっています。その芯は掃除をする時に出るチリとは違って、もっと細かく、湿気を吸いやすいもので、海の波のしぶきが風に流されている間に水が蒸発してできた塩の結晶や、燃料を燃やした時の煙の成分などです。

では地面付近にある空気のかたまりを考えてみましょう。

空気には水蒸気がふくまれています。太陽の熱で、地面があたためられると地面に接する空気も温められ、膨張します。まわりから冷たい空気が流れ込み、その膨張した空気を押し上げます。流れ込んだ空気も温められ膨張します。このようなことをくり返して、空気が上昇していきます。

大気は上に行くほど大気圧が低いので、上昇した空気のかたまりは膨張します。膨張すると温度が下がります。これを「断熱膨張による温度低下」といいます。

スプレー缶から出る気体が冷たいのはなぜ？

みなさんはスプレー缶をシューっと出した気体の冷たさに驚いたことはありませんか？

圧縮された空気が入っていたスプレー缶から空気を噴き出すと、その空気の温度が下がります。これが「断熱膨張」という現象で、熱の出入りがない時、気体を膨張させると気体の温度が下がります。外部からエネルギー（熱）が加えられない条件で、自分自身のエネルギー（熱）を使うことで、外からの圧力に抗して体積を増やすという仕事をしているからです。

なお、気体になりやすい液体が入っているスプレー缶から気体を出すと缶が冷たくなるのは、気体が出た分、管内で液体から気体になり、まわりから気化熱を奪うからです。

断熱膨張
どんな圧力にも負けないぞ！
もくもく
エネルギーアップ!!

断熱膨張の逆は断熱圧縮。断熱圧縮は、圧縮するための仕事が加えられますが、そのエネルギー（熱）を外部に放出できないので自分自身の気体の温度が上がります。

上空で起きている空気の膨張

空気が上昇して断熱膨張が起こり、温度が下がっていくと空気のかたまりの中の水蒸気はもうそれ以上水蒸気のままでいられない飽和の状態になります。

さらに上昇すると、水蒸気の一部は空気中のチリを芯にして水滴になります。

空気の上昇で温度が下がる割合は、雲ができるまでは 100 m 上がるごとに 1℃くらい、雲ができはじめてからは 100 m につき 0.5℃くらいです。雲ができはじめてから温度の下がり方が少なくなるのは、水蒸気が水滴になるとまわりに熱を放出するからです。

さらに空気が上昇して温度が下がると、水蒸気が昇華して空気中のチリを芯として氷の結晶（氷晶）になります。

雲とは、水滴や氷の結晶が空気中に浮かんでいるものです。水滴や氷の粒からできているならば地球の重力で落ちてしまうはずなのですが、非常に小さく軽いので弱い上昇気流で下に落ちずに宙に浮いているのです。

ひょうしょう状。
あなたは雲として…
氷晶状

上に向かう空気の流れを上昇気流といいますが、上昇気流があるところに雲ができるのです。

空の上の空気のかたまりが下に向かう流れ（下降気流）の時は、下に行くほど圧縮されて、温度が上がっていきます。上空で雲があっても下降気流では雲が消えてしまいます。

ここが一緒！

「雲」も「スプレー缶から噴き出した空気」も共通しているのは「断熱膨張」。温められた空気のかたまりが上昇し、高くなるにつれて大気圧が小さくなると、そのかたまりは膨張して、内部の温度が下がり、水蒸気が冷えて雲ができます。

日常にある科学

3

「エアコンや冷蔵庫」のしくみは「水飲み鳥」で説明できます！

エアコンから冷風が出るしくみ

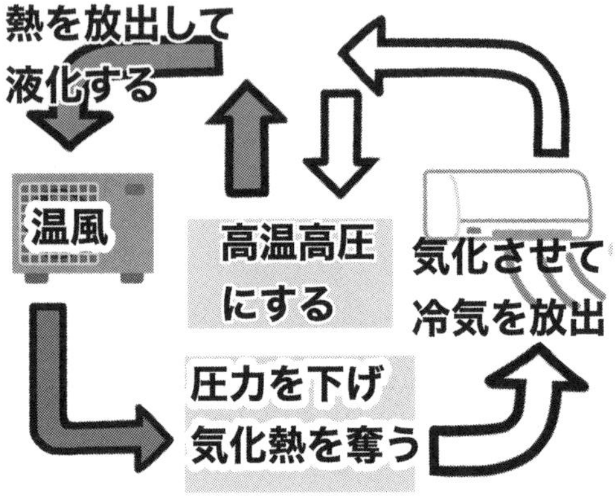

水飲み鳥が動くしくみ

水飲み鳥とは左下のイラストのようなおもちゃの鳥です。くちばしでコップの水を飲んだかと思えば、体を大きく振って、しばらくすると、また、くちばしをコップに触れ、水を飲むという動きを、いつまでもします。

このいつまでもつづく動きを見て、不思議に思います。

水飲み鳥が、電池、モーター、磁石、ゴム、ゼンマイなどの何の動力やエネルギーも使うことなく、動き続けているからです。

永久機関マメチシキ

ずっと続く水飲み鳥の動きは、永久機関じゃないかと思ってしまいます。

永久機関は2つ考えられてきました。1つは、第一種永久機関です。これは外部から何も受け取ることなく、仕事を外部に取り出すことができる機関のことですが、エネルギー保存の法則からもできないといわれています。

２つ目の第二種永久機関は、エネルギー保存の法則を破らないものと考えられました。その機関が仕事によって一度吐き出したエネルギーを、再び回収して永久に使いまわす機関のことです。こちらのほうもエントロピー増大の法則によってできないとされています。

水飲み鳥は気化熱で動き続ける

水飲み鳥の動きを考えてみたいと思います。

まずガラスでできた頭の部分とおしりの部分が胴体のガラス管で結ばれています。

その中には色付きの液体が入っています。この液体は、ジクロロメタン（塩化エチレン：CH_4Cl_2）です。色は、着色してあるようで、青や赤などがあります。液体以外は空気が入っているように見えますが、実は空気を抜いてあります。だから、空気に見える部分は、ジクロロメタンのガス（気体）があることになります。

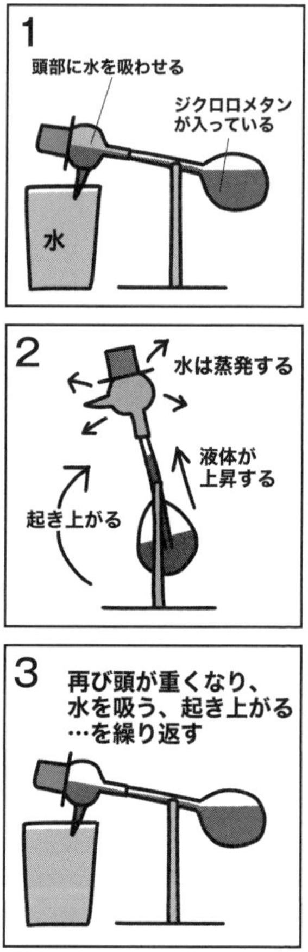
1
頭部に水を吸わせる
ジクロロメタン
が入っている
水
2
水は蒸発する
液体が
上昇する
起き上がる
3
再び頭が重くなり、
水を吸う、起き上がる
…を繰り返す

くちばし・顔の部分のフェルトに水を吸わせると吸った水が空気中に蒸発し始めます。そしてくちばし・頭の部分が冷やされます（気化熱を奪われるといいます）。すると、温度が下がったくちばし・頭の部分のガラス球の中のジクロロメタンの気体は、液体になり、その中の気圧が下がりますので、おしりの部分にある液体のジクロロメタンの胴体のガラス管を通って吸い上げられていきます。

そうすると、くちばし・頭の部分が重くなり、水を飲む位置まで、傾き、また、水を供給することになります。それと同時にガラス管がおしりの部分の球の間に隙間があり、そこから、気体のジクロロメタンが入ってきて、くちばし・頭部分の球の気圧が上がり、液体のジクロロメタンがおしり部分の球の中に流れていきます。液体がおしりの部分に流れてしまったら、おしりの部分が重くなり、体が大きく揺れます。体全体が揺れることにより、くちばし・頭の部分についた水が蒸発しやすくなり、気化が進みます。

水飲み鳥は、これを繰り返し続けて動いているのです。ですから、くちばし・頭の部分の水が気化しなければ、水飲み鳥は動きません。実際、湿度100%では、動きません。「気化熱」が大事なのです。

エアコンと冷蔵庫は気化熱で冷やすことができる

使ってるよ
れいばいを
ナットク
幽霊
霊媒師
だから冷えるのね〜!!

では、エアコンや冷蔵庫のしくみはどうでしょう。エアコンや冷蔵庫の中では、液体から気体に、気体から液体にと変化するもの（冷媒《れいばい》）が使われています。エアコンや冷蔵庫では、圧縮機で、気体の冷媒を圧縮します。圧縮により高温高圧となります。凝縮器で高温高圧の液体冷媒にします。そして、室外機や冷蔵庫外で放熱されます。

つぎに蒸発器や毛細管を通ることで圧力を下げ、液体冷媒を気化させやすいようにします。ここで気化熱を奪う（液体から気体に変わったことによって温度が下がる）ことになります。

冷却器を通り、液体冷媒が気化することで、冷気を室内や冷蔵庫内に送ります。このサイクルを繰り返し室内や冷蔵庫内の温度が下がることになります。

ここが一緒！

「エアコンや冷蔵庫」が冷やされるのは「水飲み鳥」が「気化熱」によって動くことと一緒の原理！

ひもを引っぱると「温められる駅弁」は「白色粉末乾燥剤」で説明できます!

駅弁があたたまるしくみ

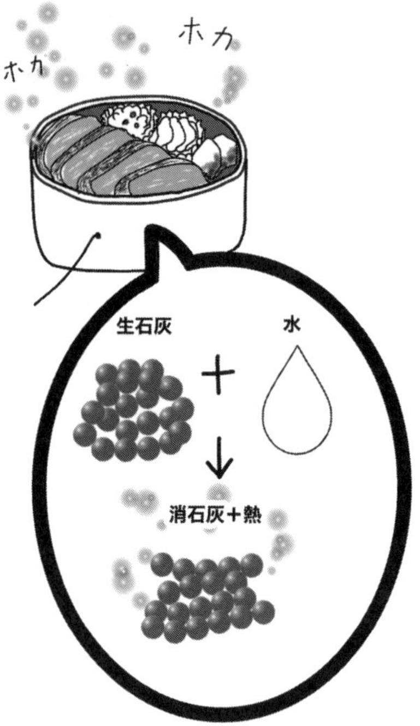

湯気の上がるお弁当

駅弁は、列車の旅の楽しみのひとつですね。お弁当ですから、普通は冷えているのが当たり前ですが、中にはひもを引くだけでいきなり湯気が上がり、何分か後にはできた

お弁当
$CaO + H_2O$
→ Ca(OH)2 + 熱
「この現象をホカホ化」と呼びます
…個人的に

てのようにホカホカになる加熱式弁当があります。

弁当には、たとえば次のようにやり方が書いてあります。

「容器は平らな場所に置き、ふたをしたまま、黄ひもを最後まで完全に引き抜いてください。ひもを引くと数秒で蒸気が出ます。操作時の熱蒸気にはご注意ください。ふたを開けないで８～10分お待ちください。」

加熱式弁当には、白い粉状の生石灰と水が別々に入っています。つまり、発熱には生石灰と水という２つの物質が関係しています。

火も使わないのに、どうして急に発熱するのでしょうか。

生石灰は乾燥剤に用いられている

実は生石灰は、乾燥剤としてもよく使われています。

海苔やふりかけ、お菓子の袋など、湿気が気になる食材には乾燥剤が一緒に入っていますが、乾燥剤には大きく分けてシリカゲルと生石灰を使ったものがあります。半透明の粒で青色の粒やピンクの粒が混じっているのがシリカゲル、白色の粒が生石灰です。生石灰は水分を吸って消石灰という白色の粉末になります。この時発熱しているのですが生石灰と水分が少量でゆっくり反応が進むので気づかない程度です。

シリカゲルに混ぜてある色つき粒には塩化コバルトという乾燥状態では青色、水分を吸うとピンク色になる塩化コバルトという物質をくっつけてあります。未だ乾燥能力があるかどうかを判断できるようにしてあるのです。

食品の袋に入っているものに、乾燥剤ではなく脱酸素剤があります。これは袋内の酸素を吸収して、食材の酸化を防ぎます。

なお押し入れやタンスに入れる乾燥剤には塩化カルシウムという物質が入っています。水分を吸ってどろどろになっていきます。シリカゲルや生石灰の5倍くらいの強力な水分吸収力をもっていますが食品には使われません。

石灰の仲間たち

ここで石灰の仲間を見ておきましょう。

石灰石（炭酸カルシウム $CaCO_3$）を強熱して焼くと、二酸化炭素（CO_2）を放出して生石灰（酸化カルシウム CaO）になります。

生石灰は水と反応すると、消石灰（水酸化カルシウム $Ca(OH)_2$）になります。消石灰の水溶液は理科の実験で使う石灰水です。石灰水に二酸化炭素を通すと白くにごりますが、そのにごりは炭酸カルシウムです。

乾燥剤の袋には「食べられません」「水ぬれ厳禁」などと書かれています。水と反応すると非常に高温になったり、強いアルカリ性を示したりするので、袋を破って水に入れたりしないようにしましょう。

かつては、学校の運動場のライン引きに消石灰を使っていましたが、角膜などの事故が起こったために石灰石粉末に変わっています（2007年11月文部科学省「運動場のラインなどに使用する石灰の取り扱いについて」）。

乾燥剤は少量でも危険

プンプン
もー!!
プンプン
プンプン
おうちカイローよ!
酸素と水に反応してるんだね…
中で鉄粉がプンプンしてるんだな

乾燥剤の生石灰も水と一緒にすると強く発熱します。

加熱弁当では、発熱量が多くなるように多量の生石灰が使われています。少量の乾燥剤の生石灰でも目などに入ると危険です。加熱弁当の場合は生石灰が多量にありますから使い終えた乾燥剤の中身を取り出すのは、やめましょう。

使い捨てカイロも
鉄＋酸＋水の発熱反応の利用

使い捨てカイロの外袋には、成分が印刷されています。どの使い捨てカイロにも必ず書かれている成分は、鉄粉、水の２つです。

使い捨てカイロでは、成分には書いてありませんが、空気中の酸素も重要です。鉄は、細かく表面積が大きい鉄粉の形です。鉄粉と酸素と水が反応して発熱しています。鉄がさびる反応を速やかに起こるようにしているのです。この時の反応は鉄と酸素だけではなく水も酸化している複雑な反応です。

ここが一緒！

生石灰と水の反応は、化学反応です。加熱式弁当は、その化学反応が起こる時に発熱することを利用しています。

「スピーカー」の原理は「モーター」で説明できます！

スピーカーから音が出るのも、 モーターが回るのも…

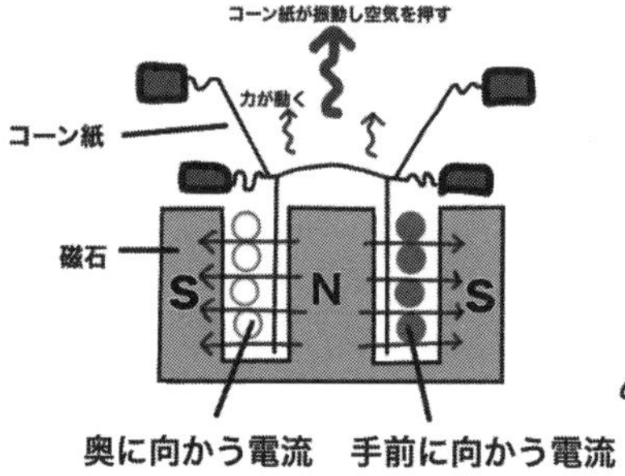

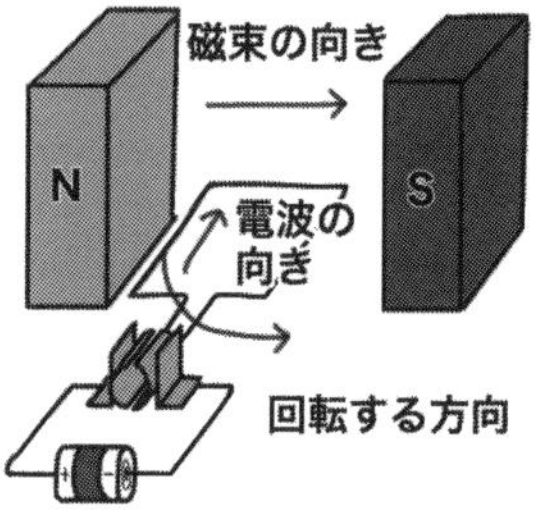

フレミングの左手の法則が適用できる！

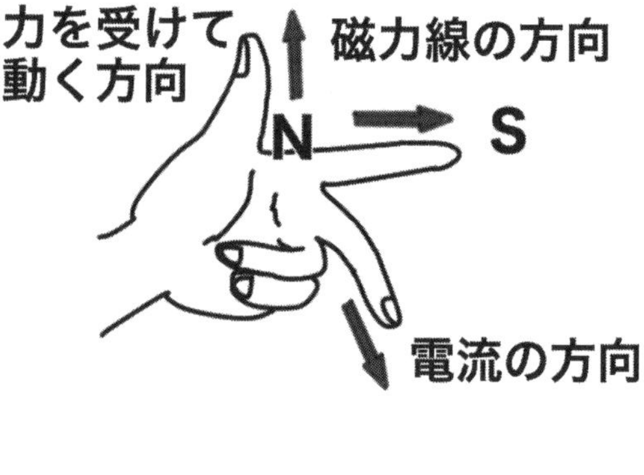

左手でわかるモーターが回るしくみ

モーターは電気エネルギーを回転のエネルギーに変える機械です。

磁場（磁界）の中で電流は力を受けます。磁場の中で電流が受ける力の向きは、図のように左手の３本の指を直角にして当てはめ、中指から順に「電・磁・力」とするといいでしょう。この関係をフレミングの左手の法則といいます。

モーターは、磁場の中で電流が受ける力で回転します。

音波とは？

good!
音波の上にいると、よく聞こえるな〜
ON波《オン》

音を出している物体は、振るえたり、ゆれたりの振動をしています。空気に伝わった物の振動を私たちの聴覚が音として感じています。

たとえば、太鼓をドーンとたたくと、まわりの物も振動します。これは、太鼓の振動が空気を振動させ、空気の振動がまわりの物を振動させるからです。

私たちの耳の中の鼓膜《こまく》も振動し、その振動の信号は神経を通して大脳に伝わり、音として感じています。

太鼓の皮が振動すると、空気を押したり引いたりします。そうすると、空気には濃い部分（密）と薄い部分（疎）ができます。空気の濃い・薄いは空気の密度が大きい、小さいに対応します。空気中を伝わる音は、空気の密度変化で伝わるので疎密波とよばれています。

音は、空気中だけではなく、固体や液体中でも伝わります。

空気を動かして音をつくっているスピーカー

スピーカーは、ラジオやテレビ、ステレオ装置などで、音声電流を音に変える装置です。ここでは、現在もっとも多用されていてポピュラーなダイナミックスピーカーを見てみましょう。

中心は音声電流が流れるボイスコイルです。

ボイスコイルには、空気を動かして音にするための振動板（コーン紙）が取り付けられています。ボイスコイルのまわりの磁石からは放射状の磁場ができています。

フレミングの左手の法則で人差し指を音声電流の向き、中指を磁場の向き（N → S）にすると、親指が力になり、ボイスコイルに電流を流すと振動板が上下に動きます。振動板が振動することで空気が振動して音が発生します。

モーターもスピーカーもフレミングの左手の法則を適用して、モーターの回転、ボイスコイル（＋振動板）の振動が説明できる機器なのです。

簡単手づくりモーター

もっとも簡単なスピーカーを手づくりしてみましょう。紙コップの外の底にフェライト磁石を貼りつけます。またその回りにエナメル線を数十回巻いたコイルを貼りつけます。コイルをラジオのスピーカー端子につなぐとできあがりです。ラジオの音がかすかに聞こえます。

なお、つくった紙コップスピーカーを、今度はラジオのマイク入力につないで、紙コップに向かってしゃべると録音できます。音質はよくないものの再生できます。マイク（ダイナミックマイクロホン）になります。

モーターはスピーカーになる？

では、モーターはスピーカーにできないでしょうか。筆者は、「模型用の直流モーターには磁石とコイルが入っているから、これもスピーカーになるのではないか」とやってみました。ラジオのスピーカー端子に直流モーターをつなぎました。

モーター
モーター
しないで
早く作ってよ
もー遅いな〜
紙コップ

小さな音ですがモーターからちゃんと音が出ています。回転軸が音声にしたがって振動しています。この回転軸をプラスチックの水そうにくっつけたら、音が大きく聞こえるようになりました。

ここが一緒！

「モーター」も「スピーカー」もフレミングの左手の法則で示される「磁場の中で電流が受ける力」で働きます。

日常にある科学 6

「流星が光る」原理は「ディーゼルエンジン」のしくみで説明できます！

流星が光るしくみ

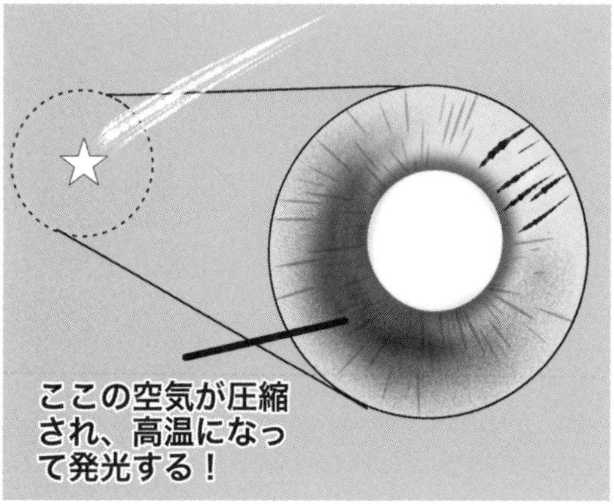
ここの空気が圧縮
され、高温になっ
て発光する！

ディーゼルエンジンに火がつくしくみ

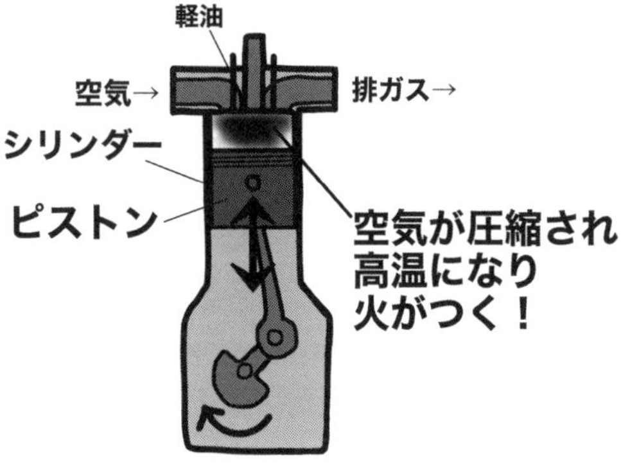
軽油
空気→
排ガス→
シリンダー
ピストン
空気が圧縮され
高温になり
火がつく！

流星の正体

流星はあたかも夜空の星が流れ落ちたように見えますが、実は宇宙空間に漂っていた塵が大気圏まで落ちてきたものです。流星として見えているのはほとんど直径1 mmから1 cm程度の岩石質の物質です。それ以上大きいものは一筋の光では済まなくなり、星よりもはるかに眩《まばゆ》く輝き、時にはめらめらとした炎のような尾を引いて流れるので、「火球」とよばれるようになります。

さて、この辺りまではすでにご存じの方も多いかと思いますが、「流星が光るのはなぜ？」と聞かれたら皆さんはどう答えますか？

多くの方が「大気との摩擦で熱くなって発光するんでしょ？」と思っているのではないのでしょうか。違います。流星が熱くなるのは大気との摩擦のせいではありません。

ディーゼルエンジンのしくみ

そう、オレが発明したの
ちょっと！ウソつかないで！
着火《チャッカ》りしてるな〜
ルドルフ・ディーゼル
ディーゼル猿人

缶のスプレーを大量に使用したあと、缶が冷たくなったと感じたことはありませんか？

あれは中身のガスを放出したことで缶の中に圧縮されていたガスが開放されて膨張し、温度が下がったものです。気体は温めると膨張しますが、温めないで膨張すると逆に温度が下がる性質があるのです。

では気体は冷やすと収縮しますが、冷やさないで収縮させる（つまり圧縮する）とどうなると思いますか？

そうです。温度が上昇するのです。こうしたしくみを利用した発火具を「圧気発火器」といいます。シリンダーの中に綿などの燃えやすいものを封入し、ピストンでシリンダー内の空気を圧縮して高温にすることでそれを発火させる道具です。東南アジアの一部地域で古くから発火具として用いられていましたが、それがヨーロッパにも持ち込まれ、マッチが発明されるまで実際に発火具として利用されていました。

ドイツの機械技術者ルドルフ・ディーゼルは、この圧気発火器をヒントにしてディーゼルエンジンを発明しました。自動車はエンジンのシリンダー内部で爆発を起こしてピストンを動かし、それを回転力に変えて走ります。ガソリンエンジンはシリンダー内部にガソリンを噴霧し、火花を発するプラグを使って発火させています。しかしガソリンよりも発火点(自然発火する温度)が低い軽油を用いるディーゼルエンジンでは、プラグを使わずにシリンダー内の空気をピストンで圧縮して高温にすることで発火させています。

流星が光るわけ

流星はおよそ数十 km/s という猛スピードで大気圏に突入し、高度 100 km あたりで発光しています。このあたりの空気は地上の百万分の一しかなく、空気との摩擦による発熱は期待できません。しかし大気と衝突する流星前面の空気は圧縮により1万℃以上にもなり、高温になった空気や加熱されて蒸発した流星物質がプラズマ化して発光しているのです。

ここが一緒！

「流星が光る」のも「ディーゼルエンジンが着火する」のも、「空気が圧縮されることによる温度上昇」が原因です。

「火山の形」は「ホットケーキの生地の粘りけ」で説明できます！

火山の種類はマグマの粘度の差

溶岩ドームの昭和新山

盾状火山のマウナロア

成層火山の富士山

ホットケーキの違いは生地の粘度

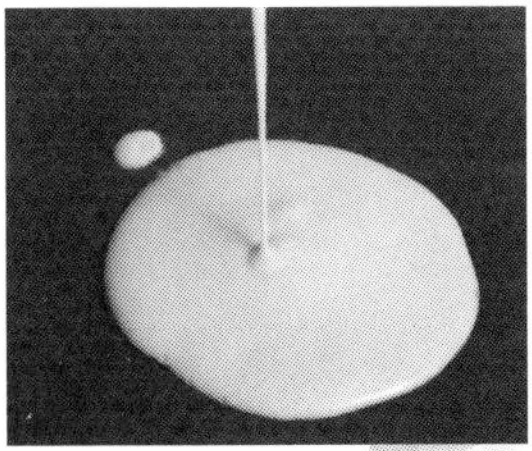

様々な火山の形

火山は地下のマグマ（溶岩）が火口から出て積み重なり山になったものです。その形はこんもりと盛り上がった形の「溶岩ドーム」、円錐形の「成層火山」、のっぺりと平べったい形の「盾状火山」に分類されています。それぞれの典型例としては溶岩ドームは北海道にある昭和新山、成層火山は富士山、盾状火山はハワイのマウナロアなどがあげられます。こうした形の違いはどうして生じるのでしょう？

成層火山になりたかったなー
なんだかザンネン…
溶岩ドーム

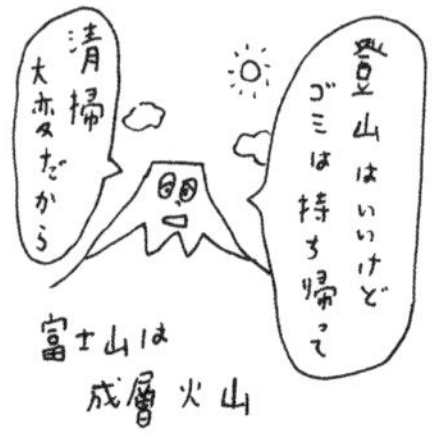

登山はいいけどゴミは持ち帰って
清掃大変だから
富士山は成層火山

たて！たつんだジョー
たて！ジョー
盾状火山

ホットケーキをつくって考えよう

それを知るために、ホットケーキを作る時を思い出してみましょう。ホットケーキの生地は、小麦粉、卵、ベーキングパウダーに牛乳または水を加えて作ります。この時小麦粉を加える分量によって生地の粘りけが変わってきます。小麦粉の割合が多い生地は粘っこくて流れにくくなり、分厚いホットケーキができます。

一方、小麦粉の割合が少ない生地はサラサラと流れやすく、薄っぺらいホットケーキができます。実はマグマにも粘っこいマグマとサラサラしたマグマがあり、この粘りけの違いで火山の形が決まるのです。

マグマの粘りけと火山の形

粘りけの多いマグマは粘っこく流れにくい溶岩になるので、お椀を伏せたような傾斜の急な溶岩ドームをつくります。また粘っこいマグマは地下のマグマの通り道である火道も通りにくく、途中で固まってしまうことも多い。すると地表に達するマグマが少ないので小型の火山がほとんどで、たとえば昭和新山は標高が400 m程度しかありません。また、火道が詰まっているのでマグマから気化したガス成分がうまく抜け出せず、山体を吹き飛ばしてしまうような大爆発を起こしやすいのも山体が成長できない一因です。爆発を起こさず、半分固まった半固形の溶岩が火口からにゅるにゅるっと出てくると溶岩ドームができます。

一方、粘りけの少ないマグマはサラサラした流れやすい溶岩になるので、溶岩は横へ横へと流れて広がり、のっぺりと薄っぺらい傾斜の緩やかな盾状火山をつくります。粘りけの少ないマグマは火道で詰まることなく溶岩をじゃんじゃん噴出するので、大型の山を形成します。例としてあげたハワイのマウナロアの標高はおよそ4200 mですが、実はその山体は水深およそ5000 mの海底から成長したもので、そう考えると基盤からの高さは9000 mを超えます。さらにのっぺりと広がった裾野の広さは100 kmを優に超え、東京から高崎までの土地がすっぽり入る巨大火山ということになります。ただしマグマから気化したガス成分はうまく抜けるので大爆発を起こすことはなく、ただひたすら溶岩流を流し続けるおだやかな噴火になります。

粘りけが中間くらいのマグマは傾斜が中間的な成層火山をつくります。山体の大きさも中間的で、標高2～4000 mが標準です。ややつまり気味の火道は山体内部にガス成分をため込み、最初は爆発的噴火になります。しかし一旦ガスが抜けると圧力が下がり、後半は火口から溶岩流を流します。つまり爆発的噴火と溶岩流噴出という噴火サイクルをくり返すのが特徴で、山体内部には爆発的噴火による噴出物（主に火山れき）と溶岩流が冷え固まった溶岩が交互に重なった、地層のような成層構造が見られます。

マグマの粘りけを変えるもの

ホットケーキの生地の粘りけは小麦粉の割合で変わりますが、マグマの粘りけはマグマに含まれる二酸化ケイ素という成分の割合で変わります。二酸化ケイ素はガラスの主成分です。ほとんどの固体の物質が熱すると液体になるように、ガラスも熱すると溶けます。ただしガラスは水のようなサラサラした状態ではなく、水飴のように粘っこい状態になります。熱したガラスに息を吹き込みガム風船のようにを膨らませて容器をつくったり、ピンセットで摘まんで動物などの形のガラス細工をつくるのは、液体状のガラスが非常に粘っこいからです。ガラスの主成分である二酸化ケイ素を多く含むマグマは熱したガラスのように粘っこくなり、少ないマグマは水のようにサラサラした状態になります。

マグマに含まれる二酸化ケイ素の割合は、マグマのでき方やマグマが地下から上昇する途中で何を溶かし込んだかによって決まってきます。それらはプレート運動や地下構造の違いによって決まるので、ある程度地域による特徴がでます。日本の地下では粘りけのあるマグマが生産されやすいので成層火山や溶岩ドームが多く、爆発的な噴火も多い地域になります。

ここが一緒！

「生地の粘りけ」の違いによってホットケーキの厚みが変わるように、火山は「マグマの粘りけ」の違いによって山体の形や噴火のようすが変わります。

「星の明るさ」は「ヘッドライトの明るさ」で説明できます！

近くの車のライトが
まぶしいように、
星の明るさも
距離で全然違う！
まぶし・

1等星は本当に明るいのか？

夜空に見える星のほとんどは恒星と呼ばれ、太陽のように水素の核融合反応により自ら熱と光を放っている星です。太陽のように熱くも明るくもないのは、その星までの距離がべらぼうに遠いからです。星の明るさは等級で表され、数値が小さいほど明るいことを意味します。

ところで1等星と3等星を比較したとき、本当に1等星の方が明るく輝いているのでしょうか？

車のヘッドライトで考えてみましょう。

星の明るさを決める要素

コラ！
2等星？
1等星？
『ヘッドライト』

ヘッドライトは間近で見ると正視できないほどとても眩しいですが、100 mも離れれば1点の光にしか見えません。

このように我々が目にする光の明るさは、光源までの距離が変わると変化します。星の明るさも同じで、我々が目にしている星の明るさは本来の明るさだけでなく、星までの距離の影響を多分に受けています。そこで星が発する本来の明るさを比較する時は、様々な位置にある星を同じ距離に揃えて比較する必要があります。

天文学の世界ではこれを32.6光年の位置に揃えることになっており、この距離に置いた時の明るさを「絶対等級」と呼んでいます。ふつうの等級は地球から実際に見た時の明るさ、つまり距離の影響も含んだ時の明るさで、こちらは「実視等級」と呼んで区別しています。

星の本当の明るさを比較すると

たとえば彦星で有名なアルタイルは1等星です。これは近くにあるから明るく見えていますが、絶対等級にすると2等星にしかならず、あまり目立たないふつうの星になってしまいます。

あまり目立たない…
彦星
トボ トボ…

逆に、真北を指す星として有名な北極星は探すのに苦労するくらい目立たない2等星ですが、絶対等級にするとなんとマイナス5等星にもなります。これは北極星がとんでもなく遠くにあるからで、本当はとても明るい星だったのです。

夜空の星々はどれもあまりにも遠くて点にしか見えないので、距離感が全くつかめず全て同じ距離にあるように見えます。そのため本当は明るい星なのに遠くにあるから暗く見えていたり、本当は暗い星だけど近くにあるから明るく見えていたりします。

つまり、我々は完全に騙されているのです。

本当の星の明るさとその星までの距離を知ると、夜空の星もまったく違って見えてくるのではないでしょうか。ちなみに太陽も32.6光年の位置に持って行って絶対等級にすると、肉眼で見える限界に近い5等星になってしまいます。

ここが一緒！

「星」も「車のヘッドライト」も、見た目の明るさは「距離の影響」を受けている。本来の明るさを比較するには距離を揃える必要がある！

「地球の内部構造の調べ方」は「美味しいスイカの選び方」で説明できます！

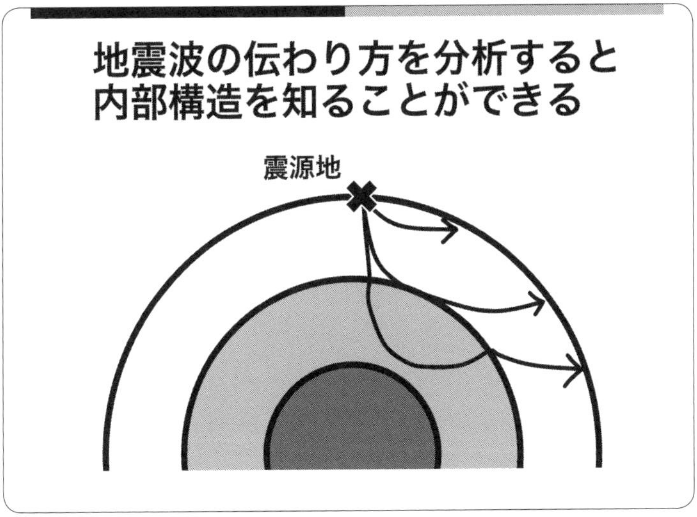
地震波の伝わり方を分析すると
内部構造を知ることができる
震源地

おっ！これは中味がつまってる
ドスドス
ドス ドス
おばあちゃん、よくわかるね〜

地球の内部構造

地球の中身はどうなっているのでしょう？　マンガの世界ならルパン三世で登場する石川五エ門に頼み、あの名刀「斬鉄剣」で地球を真っ二つにしてもらえれば見ることができます。

ただし地球は二つに分断され、五エ門には「またつまらぬ物を切ってしまった」と嘯《うそぶ》かれてしまいますが…。冗談はさておき、本当のところはどうでしょう。真っ二つに切ってしまうと後が大変なので、とりあえず穴を開けて中身を見ることが考えられます。

もともと私たちは地面に細い穴を開けて地下のようすを調べています。これを「ボーリング調査」といい、地下の地盤を調べたり、温泉や石油を掘り当てるときに利用します。

ボーリング調査でどこまで深い場所を調べられるのでしょう？

最も深くまで掘った記録はロシアのコラ半島にあり、その深さはおよそ 12 km です。それ以上は岩盤の硬さと高温に阻まれ、技術的に無理だったそうです。地球の中心までの深さがおよそ 6400 km で、掘ったのは 12 km。地球を直径 30 cm の地球儀にすると、その穴の深さは 1 mm にも満たない 0.5 mm。ほんのちょっと引っ掻いたようなものです。

地殻
マントル
外核
内核
地球
へ〜
うちの
マントルピースは
いいな〜、
やっぱり

到底、これで中身のようすが分かるとは思えません。

それでも私たちは地表から 5 ~ 50 km 程度までが玄武岩や花こう岩などからなる地殻。そこから深さ 2900 km までの部分がかんらん岩からなるマントル。そこから 5100 km までが融けた鉄からなる外核。そして中心までは固体の鉄からなる内核であることがわかっています。

どうして見てもいないのに地球内部のようすがそこまでわかるのでしょう?

おばあちゃんの知恵

今から 60 年くらい前まではスーパーマーケットは存在せず、日常の買い物といえば近くの商店街に行くのがふつうでした。その当時、果物は八百屋 (青果店) で扱っており、スイカなどもカットしないで丸々一個で売っていました。

というのも当時の八百屋には陳列用冷蔵庫や食品ラップ (1960 ~) も普及していないので、カットしてしまうと途端に劣化が進み、商品価値が下がってしまうからです。

しかし、スイカなどは中身に鬆《す》が入って甘みや水分が足りないハズレと、中身が詰まって甘みと水分が十分なアタリが混在したので、その判断は重要でした。

つまりカットしないで中身の状態を知り、美味しいスイカを選ぶことが求められたのです。そこで登場するのが、先祖代々受け継がれたおばあちゃんの知恵です。

それはスイカを拳《こぶし》で軽く叩《たた》くという方法でした。スイカを叩くとその振動によって音がしました。このとき、中に鬆が入っていると反響して「コンコン」という澄んだ音が、そして中身が水分で詰まっていれば「ドスドス」という鈍い音がしました。そう、スイカの表面を軽く叩いて「ドスドス」という鈍い音がするものを選べば良いのです。こうしてスイカをカットすること無く、美味しいスイカを見つけることができました。

地球の中も、同じ原理で調べています。でも、地球の中を通って裏側まで届くような強い振動はどうやってつくるのでしょう。

実は人為的に作るのではなく、自然現象を利用しています。自然に発生する強い振動といえば地震です。マグニチュードが8を超えるような巨大地震で発生する地震波は、地球の中心を通り抜け、およそ20分で裏側まで達します。

こうした地球の内部を通った地震波を世界各地に設置した地震計で捕え、その伝わり方を詳細に分析することで、地球の内部の構造が推定されたのです。

ここが一緒！

「スイカ」も「地球」も、割らないでも「内部を伝わる振動」を使ってその中のようすを調べることができます。

「大陸移動」は「味噌汁の具」で説明できます！

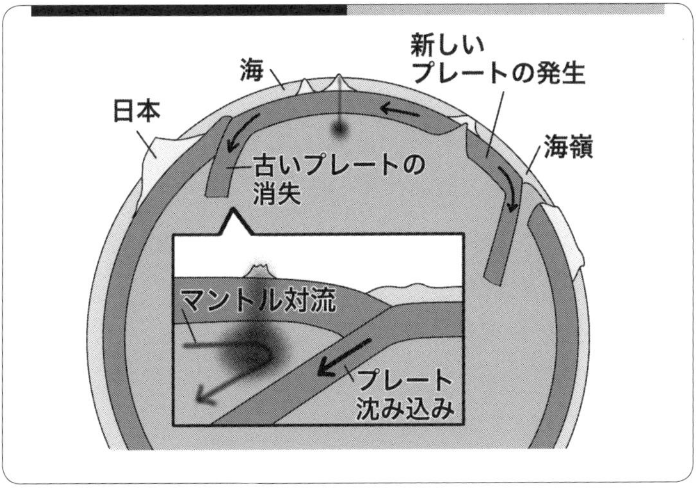

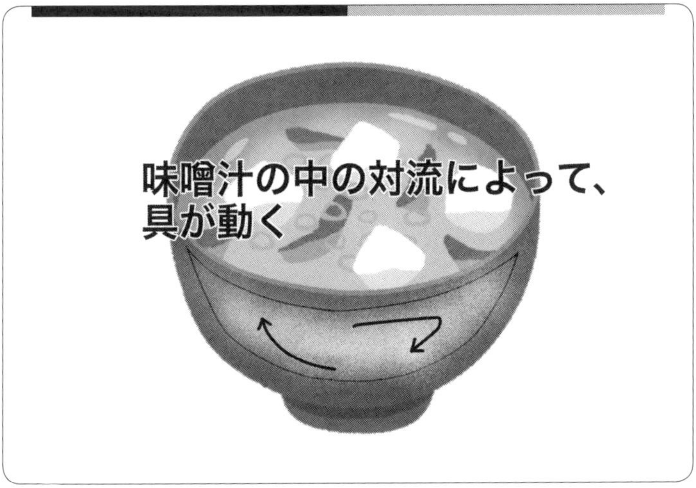

大陸が移動する！？

地球上には海と大陸があります。日本のすぐ西にもユーラシア大陸という大陸があります。ところでこの大陸が移動すると聞いたら怖いかもしれません。しかし実際、とてもゆっくりですが、大陸は動いています。動いているどころか、地球が誕生してから今まで、大陸は互いに衝突したり離れたりしていて、世界地図の形はいつも変わってきました。

たとえば今から２億５０００万年くらい前には、すべての大陸が衝突してくっつき、パンゲア大陸というたった一つの塊になった時期がありました。しかしずっとそのままではなく、パンゲア大陸はやがて分裂して現在の世界地図のような５つの大陸に分かれました。しかし地球の表面は見るからに硬そうです。どうやって大陸は移動したりするのでしょう？

おい、パンゲア大陸、なに食べてるの？
アゲパン

地球内部の対流

地球の内部は均一ではありません。大きく分けて表面から順に地殻、マントル、核という部分に分かれます。地殻は岩石からできていて、大陸で 30 km から 50 km ぐらい、海では５ km から 10 km ぐらいの厚さがあります。その下はマントルといって、温度の高い岩石の層です。深さ 2900 km くらいまでがマントルです。それより深い部分は核です。核には重い元素が集まっていて、たくさんの放射線を出して熱くなっています。これがまるでコンロの火のように地球全体を温めています。

マントルには温度が特に高い部分とそれほどでもない部分があり、温度の高いところでは地球内部から表面へ、岩石がゆっくりと動いています。表面付近で冷えたマントルは、こんどはまた地球内部へゆっくりと動いていきます。まるで味噌汁の中のように、マントルのゆっくりとした対流で地球内部の熱が表面付近に運ばれています。

海洋プレート

このマントルの対流は火山や地震と深い関係があります。

主に海底に、火山が列になっているところがあります。海《かい》嶺《れい》と呼ばれ、大西洋の真中を南北に列になっていたり、アメリカの西海岸から南に向けて列になっていたりします。日本付近にはありません。これはマントルの中で特に温度の高い部分が湧き上がってくるところです。マントルの熱で地殻が溶けてマグマになり火山になります。そこでは湧き上がったマントルからたえず新しい海の地殻が作られています。古い地殻は新しい地殻に押されて、ゆっくりと海底を移動し、徐々に冷えて厚く、重くなります。そしてどこかでまたマントルに沈んでゆきます。この海の地殻は、まるで一枚の板のようなので海洋プレートと呼ばれます。

アツイからフーフーしてね
フフフ…
世界地図みたいなお麩の味噌汁

大陸プレート

では実際のところ、海洋プレートはどこで沈むのでしょう。それは海ではない陸のプレート（大陸プレート）とぶつかった時です。大陸プレートは、海のプレートと少し材質が違っていて軽いため、地球の味噌汁ではいつも浮いています。まるで味噌汁に浮かぶ大きな麩《ふ》のようなものです。地球の表面はこうした海と陸のプレートに隙間なく覆われています。海のプレートが大陸プレートにぶつかると、海のプレートのほうが重いので下に潜り込んでいくことになります。これが海溝をつくり出します。日本のすぐ東にも日本海溝という深い海溝があります。

大陸プレートは基本的に沈まないのですが、プレートは硬い岩なので、海洋プレートに引きずられて少し沈みかかってしまうことがあります。しかし軽いのでまた浮き上がろうとするとき、跳ね上がって大地震を引き起こします。そして味噌汁の麩もそうですが、対流の加減によっては茶碗の中を移動し、他の麩とくっついたり離れたりします。これが大陸移動なのです。プレートの動きは複雑で、完全に予想するのは難しいのですが、こうしてプレートの動きで大陸移動を説明しようとする理論をプレートテクトニクスと呼び、現在では多くの研究者に信じられています。

ここが一緒！

「地球のプレート」も「味噌汁の具」も熱による対流の加減で移動している！

5章

「たとえ」があると科学はこんなにわかりやすい！

おもしろさ
再発見
1

「虹の７色」は「プリズム」で説明できます！

光はプリズムを通るといろいろな色に分かれる！

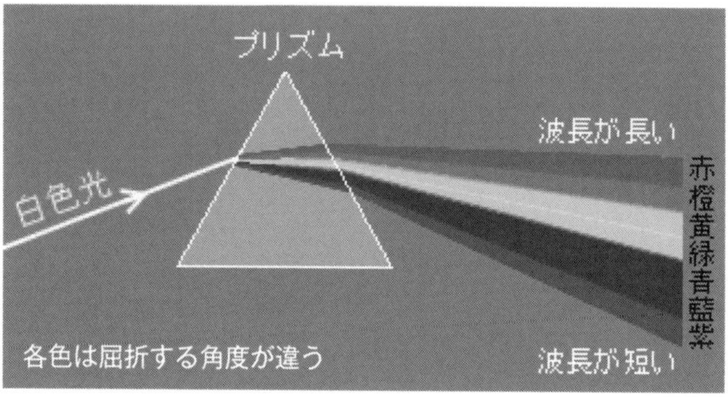

子どものころ、雨上がりの空に虹が出ていると虹のはしはどうなっているのだろうと、虹に向かって追いかけた経験はないですか。しばらくするといつも薄くなり消えてしまいました。そんな、不思議ではかない虹についてです。

白い画用紙を照らす時は白に見えます。でも、緑色の画用紙を照らす時は、緑になります。

これは、太陽の光にはいろいろな色が混じっているからです。色が混ざっていると、私たちには「白」に見えます。この光を白色光といいます。

光の進む速さは物質の種類によって違うため、物質に当たった時に光の屈折が起こります。白色光が、屈折率の違う物質に入射する時、虹のように色が分かれていきます。これは各色の屈折率が違うからです。ガラスの三角柱のプリズムを光が通る時、いろいろな色に分かれて出ていきます。

これは各色の屈折率の違いにより、曲がる角度に差が生じているからです。

波長の長い「赤」は屈折の角度は小さく、波長の短い「紫」は屈折の角度は大きくなります。真空ではどの光も同じ速さですが、物質の中に入る時は波長が短いほど、光の速さが遅くなるからです。波長が短い光、つまり、紫色は遅いことになります。

このような光の屈折率の違いにより各色に分離されることを「光の分散」といいます。光の分散は、雨粒でも起こります。雨粒の場合は、右の図のように分散されます。プリズムと同じことが起きていますね。これが「虹」の正体です。

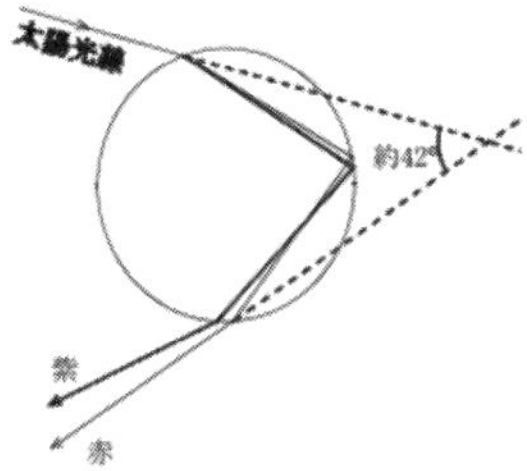

虹はどこにある？

虹は雨粒によって分散された光を見ていたのです。

ですから、虹は空気中に雨粒があって、それに太陽の光が当たっている雨上がりによく見られます。しかし、虹を捕まえることも、虹のはしに行くこともできません。さて虹は、どこにあるのでしょう。

　虹の赤く見える部分は、太陽の差し込んでくる光と、見ている人の視線の角度が４２度になっている雨粒です。それから順に橙色、黄色、緑色、青色、藍色と見えていきます。そして、太陽の光と視線の角度が４０度の雨粒が紫に見えるのです。

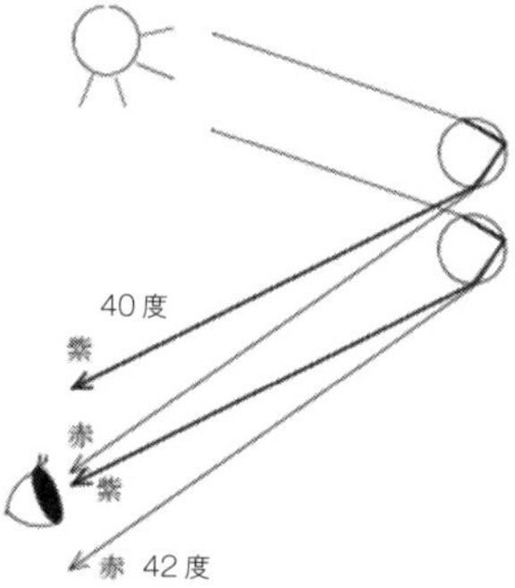

　ですから、虹は太陽の光が差し込んでくる方向から、約４２度離れたところに現れます。

虹が２つ見える現象はなぜ起きる？

　立派なきれいな虹が見えている時、その外側に、もう少し薄い色の虹が見えていることがあります。

　この虹は「副虹」と呼ばれます。

　副虹は不思議なことに、先ほど説明した虹（主虹）とは、逆の色の配列になっています。

　なぜでしょう。

　主虹の場合は、雨粒の中で１回の反射している光を見ていました。副虹では、２回反射している光を見ています。つまり、２回目の反射で色の配列が入れ替わっているのです。

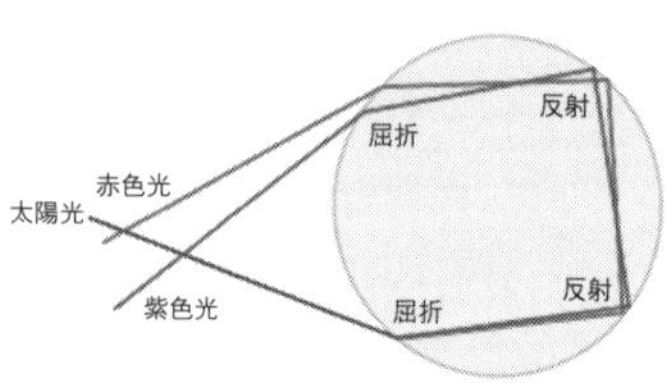

図のように２回反射するために、色の配列が逆になります。この時、赤い色の光は約51度、紫色の光は約53度となり、今度は紫色が外側、続いて藍色、青色、緑色、黄色、橙色、赤色のならびになるわけです。

主虹と副虹を比べると、主虹の方がずっと明るいです。それは、副虹は２回反射しているため、主虹よりずいぶん暗くなってしまうからです。

主虹と副虹の間の空は、少し暗く見えます。この暗い領域はアレキサンダーの暗帯と呼ばれています。

アレキサンダーの暗帯に浮かんでいる雨粒でも、主虹や副虹同様に光の屈折や反射が行われています。

暗帯
スゴイの発見したから、
生活安泰♡
アレキサンダーの安泰

しかし、主虹として見える光は、ちょうど見ている人の頭の上を通過しています。また副虹をつくる２回反射の光は見ている人の足元を通過しているので、目には入ることがなく、暗くなります。

ここが一緒！

「虹」も「プリズム」も光は屈折する！　このため「７色」に見える！

おもしろさ再発見
2

「ジェットコースター」は「振り子」で説明できます！

ジェットコースターは最初に落ちた位置より高くならない

図 1

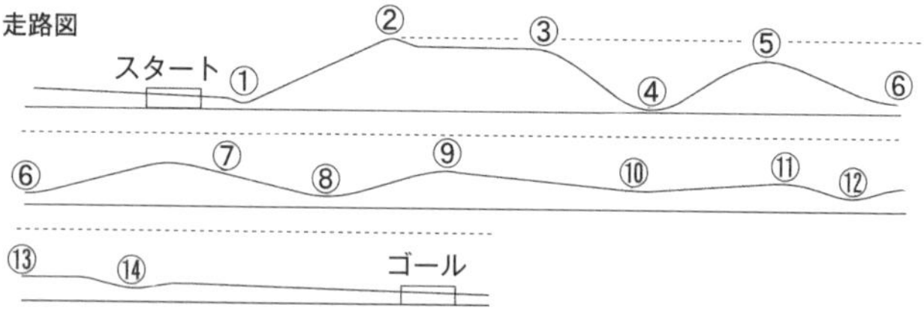

遊園地は巨大な理科の実験場

遊園地で人気のジェットコースター。その人気度を左右する最大の要素に「スピード」があります。そのスピードを生み出す条件として「高さ」があります。ジェットコースターは、動力で一番高い地点まで上げられると、その後はレールに沿って一気に降りスピードを上げていきます。その後､レールは上下左右、時には回転を加え、コースターが走っていきます。

図1は、華蔵寺《げぞうじ》公園（群馬）にあるジェットコースターの走路図です。①地点で坂を上り始め②地点の高さが最高で、レールに沿って下がったり上がったりしますが、高さは②地点を越えることはありません。

振り子と似ている動

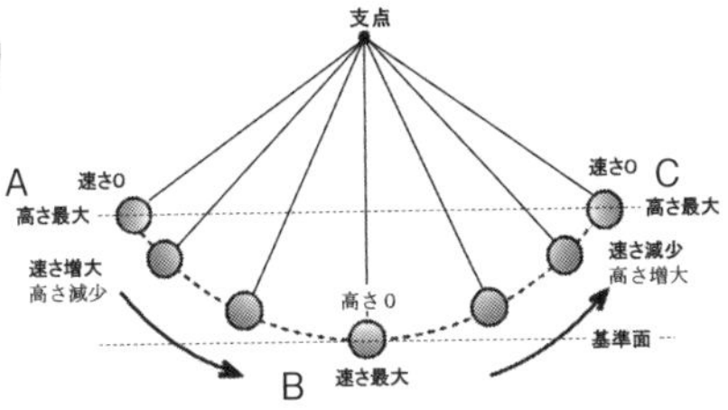

ジェットコースターに乗って高い位置ではスピードが遅く、低い位置ではスピードが速くなります。これは、「振り子」と同じです。

振り子を振らせるのに，一度ある高さまで持ち上げ手を離します。手で持ち上げている時、および左右に最大に振れている時（AとC）が高さの最大になり、速さは0です。

手を離すと振り子の錘《おもり》は、A→Bに動き、高さは減少し速さは増大します。そして、高さが一番低いBの時に速さは最大になります。

また、錘がB→Cに動くにつれて、速さは減少し高さは増大します。そして、Cの時に停止し（速さ0)、高さは最大になります。

これをエネルギーで説明すると、振り子の錘が一番高いAとCの位置は速さ0で運動エネルギー0、高さは最大になり位置エネルギーが最大になります。

振り子で位置エネルギーと運動エネルギーを合わせたもの

を「力学的エネルギー」と呼びます。

ジェットコースターも振り子と同じように位置エネルギーと運動エネルギーの移り変わりで運動しています。

つまり、最初に運び上げられた高さでの位置エネルギーが最大で、これより大きくなることはありません。

ということは、最初の運びあげられた高さ以上に上昇するジェットコースターはないのです。

群馬県の華蔵寺公園のジェットコースターの走路図でジェットコースターは、スタートしていったん①で下がりますが、動力で一番高い②の地点に持ち上げられます。その後③から急に下降して④の地点で高さが最小になります。しかし、その後上昇しますが最初の②の地点の高さを超えることはありません。

途中のアップダウンを繰り返しますが、登り始めると速さが減少し、運動エネルギーが位置エネルギーに変わっていくのです。また、降り始めると速さが増して運動エネルギーが増大し、位置エネルギーは減少します。

この間の運動エネルギーと位置エネルギーを合わせたもの（和）は一定になっています。つまり、A地点は、位置エネルギーが最大で運動エネルギーは0、B地点は、位置エネルギーが0となり、すべて運動エネルギーに変わり最大になります。

力学的エネルギーは保存される

Z Z Z
え!寝るの?今??
デートは!?
…エ寝るギー保存の法則

運動エネルギーと位置エネルギーは、互いに移り変わり（変換され）ますが、その合計である力学的エネ

ルギーは一定です。これを「力学的エネルギー保存の法則」といいます。

運動エネルギー＋位置エネルギー＝力学的エネルギー（一定）

下図のようにボールをレールに沿って転がします。表は各地点のエネルギーの大きさを示しています。位置エネルギーや運動エネルギーが変わっても力学的エネルギーは一定なのです。

ジェットコースターでは、実際にはレールの上を車輪が動くことで摩擦が発生します。また、空気抵抗や音が発生し、エネルギーは次第に失われていきます。ジェットコースターは、高い位置に持ち上げることにより得られた位置エネルギーを運動エネルギーに変換しながら、さらに、摩擦等のエネルギーロスをしながらゴール地点にたどり着きます。

力学的エネルギーの保存

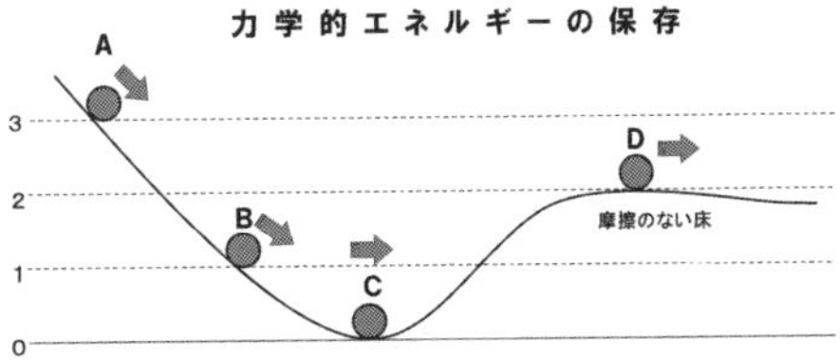

エネルギー	A点	B点	C点	D点
位置エネルギー	3	1	0	2
運動エネルギー	0	2	3	1
力学的エネルギー	3	3	3	3

ここが一緒！

「ジェットコースター」も「振り子」も最初に持ち上げた位置以上に高いところへ上がることはない！

「スピードガンのスピード検知」は「救急車のサイレンの音」で説明できます！

スピードガンのスピード検知

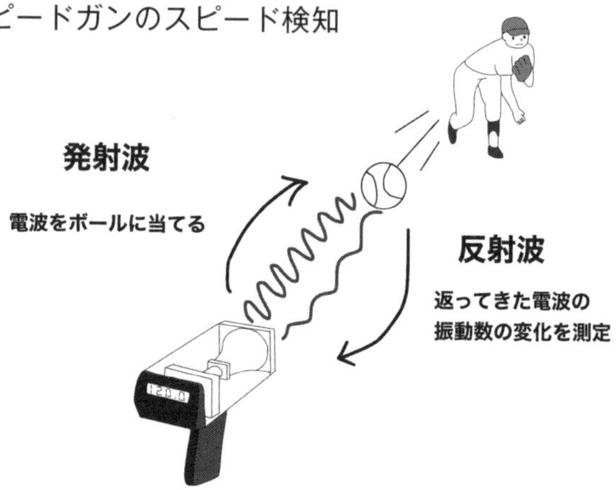
発射波
電波をボールに当てる
反射波
返ってきた電波の
振動数の変化を測定

サイレンの音の聞こえ方

救急車と人のあいだにある
音の波が渋滞し、
波が詰まるので
周波数が大きくなる
→高い音になる
救急車と人の間が広くなり、
周波数が小さくなる
→低い音になる

野球中継でも速度取締でも使われる機械

野球中継を見ていると、投手がボールを投げた瞬間に画面にボールのスピードが出ます。どうやって測っているのでしょう。

実はスピードガンと呼ばれる測定器が捕手の方から投手の方を向いて待ち構えています。ガンというのは銃という意味で、スピードガンには握る部分と測定対象物に向ける部分があります。

ボールが投げられた瞬間に測定者が握ったままボタンを押すと機械が一瞬、電波を出します。電波はボールに当たってはね返ってきます。はね返ってきた電波を調べるとボールのスピードが分かるのです。一回では正確さに欠けるので一般的には 0.01 秒から 0.04 秒毎に何度も電波を出し、10 回から 40 回程度測定します。

実は自動車の速度取締もほとんど同じしくみです。警察官が、走ってくる自動車に向けて測定器のスイッチを押すと、自動車に向けて電波が発信され、はね返ってきた電波を機械で調べるとスピードがわかります。

ではどうしてはね返ってくる電波でスピードがわかるのでしょう？

音でわかる振動数の変化

人は電波を感じられず、よくわかりません。しかし、もっとずっと遅い音の波だとこのしくみを実感することができます。そう、救急車のサイレンの音です。サイレンの機械は一定の高さの音を出し続けていますが、救急車が向かってくる時は高い音で聞こえて、目の前を通り過ぎた瞬間に急に低い音になります。これを「ドップラー効果」と呼びます。

音は空気を伝わる波で、音の高さは空気がどれだけ速く振動するか（振動数）で決まります。ちなみに高い音のほうが振動数が大きいです。

そして物体の移動スピードによって振動数がどう変わるかは次の式で計算することができます。

$$f=f_0\frac{(V-t)}{V}$$

fが実際に聞こえる音の振動数です。Vというのは音速です。tは物体が近づいてくるスピードです。f_0は音源の振動数です。

救急車がtのスピードで近づいてくると、分母が小さくなるのでV/(V-t)は大きくなります。そこでfはf_0より大きくなり、高い音として聞こえます。逆に救急車がtのスピードで遠ざかればtはマイナスの値なので分母は大きくなりf_0は小さくなります。つまり低い音になります。

あらかじめ温度と気圧を測定して音速を計算しておけば、向かってくる時と走り去っていく時で、振動数がどう変わるかを測定することで、救急車のスピードが計算できるのです。

渋滞する波

どうして物体が移動すると周波数が変わるのでしょう。物体自体は常にf_0の周波数で音を出しています。しかし音が伝わるスピードは空気の状態で決まっているので、物体がどう移動していても変わりません。物体が近づいてくるからといって、音の波も一緒に速くなってはくれないのです。

そうすると、物体が近づいてくるにつれて、物体と聞き手のあいだにある音の波が渋滞して詰まってきます。短い区間にたくさんの波が詰まるので、周波数が大きくなって聞こえるわけです。

スピードガンも原理は全く同じです。ある決まった振動数の電波をボールに当てて、返ってきた電波の振動数がどう変化したかを測定すれば、ボールが向かってくるスピードを計算できます。電波は光のスピードで伝わり、音速よりずっと速いので、小さな誤差でボールのスピードを計算できます。

ドップラー効果はレーダーや飛行機の対地速度計、超音波エコーの機械の一部にも使われています。

ここが一緒！

「スピードガンのスピード検知」も
「救急車のサイレンの音」も
人や物への音・電波の渋滞具合が同じ！

おもしろさ再発見 4

「お腹の超音波検査」は「やまびこ」で説明できます！

超音波検査

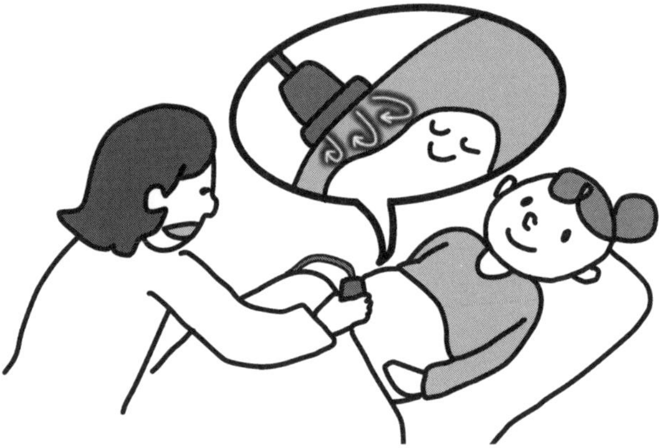

やまびこ

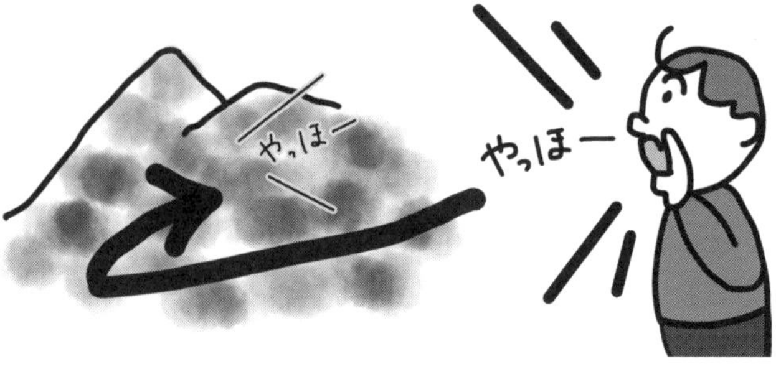

やまびこは音波の反射

山や谷間などで山肌などに向かって大きな声を出すと、その音が反射して返ってくるのがやまびこです。鏡に光が反射するように音波が空気中を進行する時、固体に当たると反射の法則に従って反射します。

「やまびこ」ということばは、もともと山の神の意味で、山の神が答える声という伝承に由来するといわれています。

私たちに聞こえる音と聞こえない音

私たちに聞こえる音波は振動数（1 秒間に振動する回数）が高いほど高音、低いほど低音です。振動数はヘルツ (Hz) という単位で表します。1 秒に 1 回振動すれば 1 ヘルツ 、4 回振動すれば 4 ヘルツ の音です。

人間の耳が音として聞くことができるのは、20 ヘルツから 20000 ヘルツ程度の範囲です。これよりも、振動数が低い音は人間の耳には聞こえません。このような音を「低周波」といいます。また、逆にこれよりも振動数が高い音も人間の耳には聞こえません。とくに2万ヘルツより高くて、耳に聞こえない音を「超音波」といいます。

ヒトの耳に聞こえる音波は物質中を伝わっていく時、広がりながら進んでいきます。

ところが、振動数の大きな超音波は、物質中を伝わっていく時、あまり広がらずに進んでいきます。そのため、ものに当たった時に反射してあまり広がらずに戻ってきます。

動物の中には超音波が聞こえるものがいます。

たとえば、イヌは人には聞こえない約５万ヘルツの振動数の超音波まで聞くことができます。ネコは６万ヘルツ以上の超音波を聞くことができます。コウモリやイルカは10万ヘルツを超える超音波を聞くことができます。しかも、コウモリやイルカは超音波を自分で出すことができます。コウモリやイルカは自分で超音波を出して、ものにあたって反射して返ってくる超音波を聞いて、自分の前にある障害物やエサなどの位置や形などをとらえています。これを「エコロケーション」といいます。

お腹の中を「見る」!?

エコーですね
はい、エコ子です

昔は、お母さんのお腹の中にいる赤ちゃんは、生まれてくるまで、双子かどうかは分かっても、男の子か女の子か分かりませんでした。今は、医師にお願いすると生まれる前に超音波検査をしてわかります。

超音波は音の仲間ですから、やまびこのように、ものにあたって返ってきます。お母さんのお腹の表面から中の赤ちゃんの体に向けて超音波を出して、その返ってくる時間やその強さの違いをもとに画像化して調べています。

海底の様子を調べる方法

超音波を利用したものに、海底の深さを調べる音響測深機や漁船が魚を探す時に使う魚群探知機があります。

昔は海底の深さを調べるために、船から先に重い錘《おもり》をつけた長いロープをおろしてはかりました。その後ロープは鋼のワイヤーに変わりましたが、1点の測定のたびごとに錘を上げ下げしなければならないので大変でした。

そこで考えられたのが音波の利用です。

ソナーで海底の地形もわかるよ
ソーナんだ
へ〜

超音波を発射してから海底に当たって反射される音を聴音機で聞くまでの時間の半分（片道の時間）を音波の速さにかければ深さが求まります。この音響測深技術（ソナー）の進歩によって、海底の地形のでこぼこが手に取るようにわかるようになってきました。

超音波マメチシキ

超音波は振動数が大きいので、ものを激しく振動させることができます。メガネ屋さんの店先によく水が入った洗浄機が置かれています。この洗浄機には超音波を発生する装置が組み込まれています。水の中にメガネを入れて、スイッチを入れると、水が激しく振動して細かい泡が発生し、メガネの汚れを洗浄します。超音波洗浄機はさまざまな産業分野で機械部品や電機部品などの洗浄に使われています。

ここが一緒！

お腹に超音波を当てて、やまびこのようにものに当たって音波が反射する性質を使って、お腹の内部の様子を調べることができます。

おもしろさ再発見

5

「発電の原理」は「自転車のライト」で説明できます！

発電所の構造

発電所の見学に行ったことはありますか？中まで見せてくれないこともありますが、とても大きく迫力があります。発電所では、工場や鉄道や家やビルで使う電気を作り出しています。大きな発電所だと１００万キロワット時といった、とてつもなく巨大な量の電気を作っています。

しかし電気は目に見えません。そもそもどうやって電気は作られているのでしょうか。

太陽光発電所以外の発電所では、エネルギー源になる部分と、エネルギーを電気に変換する部分（発電機）があります。

発電所の種類によってエネルギー源になる部分は異なります。水力発電所であればダムに蓄えられた水がたくさんあります。高いところにある水の位置エネルギーがエネルギー源です。

火力発電所では石炭、石油、天然ガスなどの燃料をボイラーで燃やして水を熱い蒸気にします。これがエネルギー源になります。

風力発電は風そのものがエネルギー源です。原子力発電所でも核燃料（ウラン235）が核分裂するときの熱がエネルギー源になります。ちなみに太陽光発電所では太陽光が直接電気になるのでエネルギー源になる部分しかありません。

一方、発電機の中には軸とそれについたコイルがあり、軸を中心に回転するようになっています。発電所ではダムから出る水の勢いや、熱い水蒸気の勢いで、最終的には発電機の軸を回転させます。そして軸とコイルが回転すると電気が発生するのです。どうしてそれで電気が生まれるのでしょう？

電磁誘導

驚くべきことに、電気を生み出すしくみは、巨大な発電所でも、電車の回生ブレーキでも、屋台で使われる携帯発電機でも、自転車についている発電機でも、規模が違うだけで全く同じです。

身近な発電機として自転車の発電機を見てみましょう。自転車は夜間にライトを点灯しないといけないので、必ず発電機がついています。自転車の発電機は、最近の自転車では前輪の中心部分にあります。少し古い自転車では、前輪の右前についています。車輪が回るとその回転が発電機に伝わり、軸を回転させ、電気が生まれるのですが、実は分解してみると、発電機の中は意外にシンプルです。軸の周りにはコイルがついていていますが、それが固定された永久磁石に挟まれた形になっています。

一般に、コイルの中で磁場が変化すると電流（誘導電流）が発生します。この現象を電磁誘導といいます。電流は、コイルの巻き数が多いほど、磁石を速く動かすほど、磁力が強いほど大きな電流が流れます。

軸についたコイルが固定された磁石の中で回転すると、磁石に対するコイルの角度が変わります。するとコイルの内側を通過する磁場が変化するので電流が発生します。これが発電機の正体です。ちなみに、この構造はモーターとほとんど同じで、止まっているモーターを頑張って回してやれば、逆に電気が発生します。

ここが一緒！

どんな「発電機」も磁石とコイルの回転で、電気をつくっている！

おもしろさ再発見 6

「打ち水」の効果は「予防接種の消毒」で説明できます!

水は地表のエネルギーを
奪って蒸発する

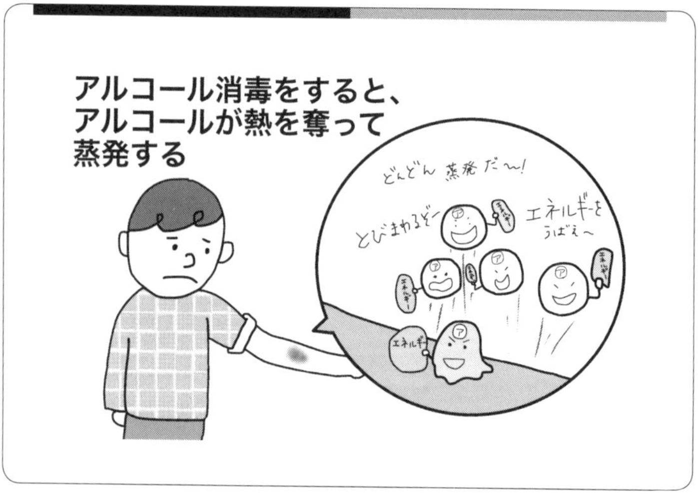
アルコール消毒をすると、
アルコールが熱を奪って
蒸発する
どんどん蒸発だ〜!
とびまわるぞー
エネルギーを
うばえ〜
エネルギー

かつて日本では、夏の暑い日に涼を求めて打ち水をしている風景をよく見ました。清掃した所を清めたり、舗装されていない道路の土ぼこりを防いだりする効果もあったようです。なぜ、打ち水をすると涼しく感じるのかその理由を見てみましょう。

液体が蒸発すると周りから熱を奪う

注射をする時に、アルコールを含んだ脱脂綿で拭いて消毒をします。この時、消毒した所が冷たく感じます。これは、アルコールが蒸発する時に周りから熱を奪うからです。この熱を「気化熱」といいます。なぜ、蒸発する時に熱を奪うのでしょうか。

蒸発した
あの人……
ある？・
コール
RING RING!
シーーン…
ないわよ
ね……
冷たい人…

アルコールは、アルコールの分子がたくさん集まってできています。液体のアルコールは、分子同士がくっついたままの状態です。それに対して、気体のアルコールは、一個一個の分子が、ばらばらでビュンビュン飛び回っています。一個一個の分子はとても小さいので、蒸発した気体のアルコールは目には見えません。

液体のアルコールが気体のアルコールに変わるためには、ビュンビュン飛び回るためのエネルギーが必要です。アルコールが蒸発する時、この飛び回るエネルギーを熱として周りから奪います。これが、気化熱の正体です。

打ち水をすると、まず、まいた水によって道路の表面が冷やされます。さらに、その水が蒸発するときに、気化熱として熱を奪い道路を冷やします。すると、道路に接している空気が冷やされて、空気の温度が下がります。それで、打ち水をすると涼しく感じるのです。

気化熱は水の方がアルコールより大きい

インフルエンザの予防で、手にアルコールを付けて除菌する時、手がかなり冷たく感じます。これも、除菌用アルコールが手から蒸発するときに気化熱として手から熱を奪うからです。

一方で、手を洗った後の水に濡れた手は、アルコールの時ほど冷たいと感じません。気化熱は、水よりアルコールの方が大きいのでしょうか。

答えは、NOです。水の方が約３倍も気化熱が大きいのです。

じつは、アルコールの方が水より蒸発しやすいのです。アルコールは水に比べ短時間で蒸発します。短時間で熱を奪うのでより冷たく感じるのです。それに対して、水はゆっくり蒸発するので、あまり冷たく感じません。

扇風機や団扇の風はなぜ涼しい？

扇風機や団扇の風は冷たいわけではありません。室温と変わらない風を送っています。では、なぜ涼しく感じるのでしょうか。

ふつう体温は室温より高いため、体に接している空気は温められて、室温より高くなっています。そこに、風が吹くと体に接している暖かい空気が移動するため、室温と同じ風であっても涼しいと感じます。

その時、汗をかいていたり、体が湿っていたりすると、風によって水分の蒸発が促されるので、気化熱で体温が下がり、さらに涼しく感じます。

芝生が涼しく、砂浜や砂場が熱いのは

また気化熱か〜！
扇風機
アイツのウワサ、きかね〜って日ないよな
植物
人気者だな…

夏の乾いた砂浜や砂場は、素足では歩けないほど熱くなっています。それに対して、砂場の近くの芝生は、ひんやりしています。なぜ、これほどの温度差があるのでしょう。

砂浜や砂場は、湿っていれば水の気化熱によって冷やされます。しかし、乾いていると太陽の熱で加熱されるため高温になってしまいます。

一方で植物は、太陽の光のエネルギーを、光合成で栄養分を合成するために吸収します。また、根から吸収した水を、葉の気孔から蒸散させることによって、水の気化熱で体温を下げています。それで芝生は、それほど温度が上がらないのです。屋上やベランダを緑化したり、建物の周りを緑地化したりすることも、植物の力を借りて温度が上がるのを防ぐ効果があります。

ここが一緒！

「打ち水」の効果と「予防接種の消毒」に共通しているのは、水やアルコールが蒸発するときに、「周りから気化熱を奪う」ことで温度を下げる。

おもしろさ再発見
7

海沿いで吹く「海陸風」は「熱気球」の原理で説明できます！

海陸風はあたためられた空気の膨張で起こる！

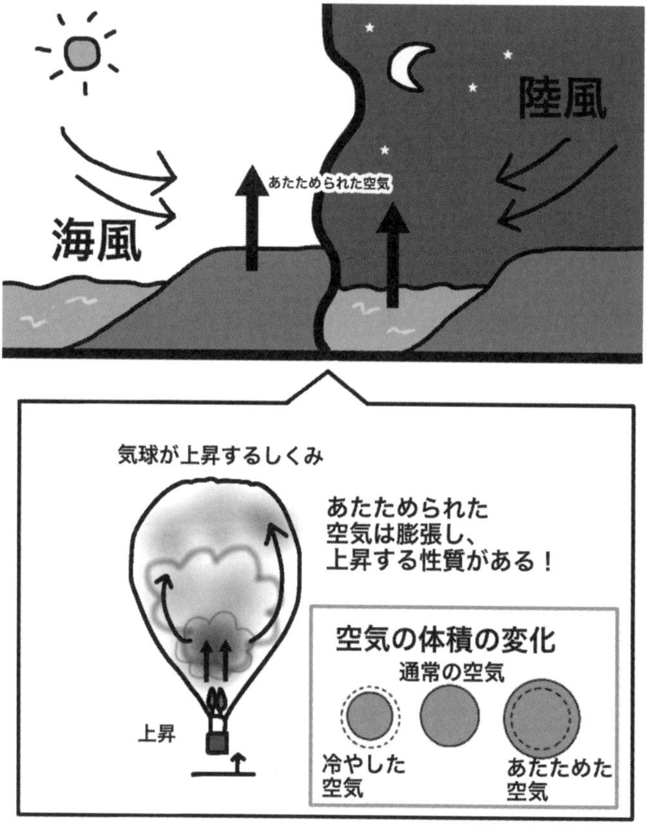

熱気球のしくみ

あたためられると空気が膨張して…
火
膨張すると密度が小さくなって…
浮力でウキウキ～♪

熱気球は気球と籠、それにバーナーで作られています。エンジンが付いているわけではありません。バーナーで温められた空気を徐々に送り込むのです。送り込まれた暖かい空気がいっぱいになると、気球自体がパンパンに膨らんでふわりと上空に昇り始めます。

多くの物質は温められると、体積が増えます。それを「膨張」と言います。空気も例外ではありません。体積は増えますがその質量は変化しませんので、密度が小さくなるのです。空気にも質量があり、1Lでおよそ1.2gもあります。

温かい空気を逃がすと…
下降するよ
おかえり
カッコー♪

膨張したことで密度が小さくなると、浮力がはたらき上にあがるのです。そんな温まった空気の塊を気球に閉じ込めたのが熱気球です。

上空に上がると、外気温も低くなるので、熱気球のパイロットは定期的にバーナーを焚いて暖かい空気を補充して高度を維持します。高度を下げるためには気球内に溜まっている暖かい空気を外に放出すれば良いのです。

海辺で生じる海陸風

海岸線近くでは海陸風と呼ばれる風が吹きます。海陸風というのは海風と陸風に分けられます。この二つの風は吹く時間が違うのです。これらの風には熱気球と同じように温められた空気の動きが関係しています。

海辺周辺の空気の動きを時間ごとにみてみましょう。太陽が昇ってくると温かさを実感します。太陽からの熱が放射という形で伝わってくるからです。その熱で地面も海水面も温められます。

地面は熱を吸収しやすく、温度がどんどん上昇していきます。ところが水には「温まりにくく冷めにくい」という性質があります。つまり海水面は地面よりも温度が上がりにくいのです。

地面が温められると、その熱はそこに接している空気に伝わります。熱気球が揚がる原理と同じで、温められた空気は膨張し、密度が小さくなるので上に移動します。そこに、海上にあるまだ温度が上がりきっていない空気が流れ込んでくるわけです。空気の流れは風になります。これが昼間に生じる海からの風、「海風」です。

太陽が沈みます。温めてくれる熱源がなくなりますから、今度はどんどん温度が下がってきます。

先ほどのように水には「温まりにくく冷めにくい」という性質がありますから、陸の方が先に温度が下がっていくのです。すると、海水面上にある空気の方が温められることになります。やはり温められた空気は上空に移動します。今度はそこに冷やされた陸から空気が流れ込み、風が生じます。これは陸から海に向かって吹きますから、「陸風」と呼ばれます。

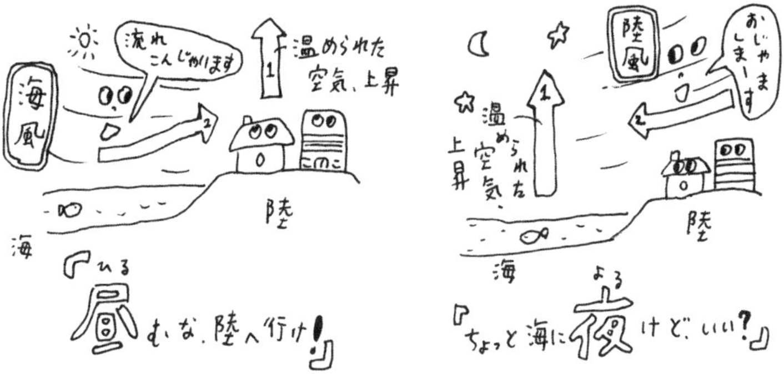

海風
流れこんじゃいます
温められた空気、上昇
陸
海
『昼《ひる》むな、陸へ行け！』
陸風
おじゃましまーす
温められた空気、上昇
陸
海
『ちょっと海に夜《よる》けど、いい？』

ここが一緒！

バーナーで「温めた空気を溜めたり逃したり」して上昇下降する「気球」の性質を使って、海辺で吹く「海陸風」の性質が説明できる！

おもしろさ
再発見
8

「富士山頂での水の沸点が低い」のは「圧力鍋の逆の現象」で説明できます！

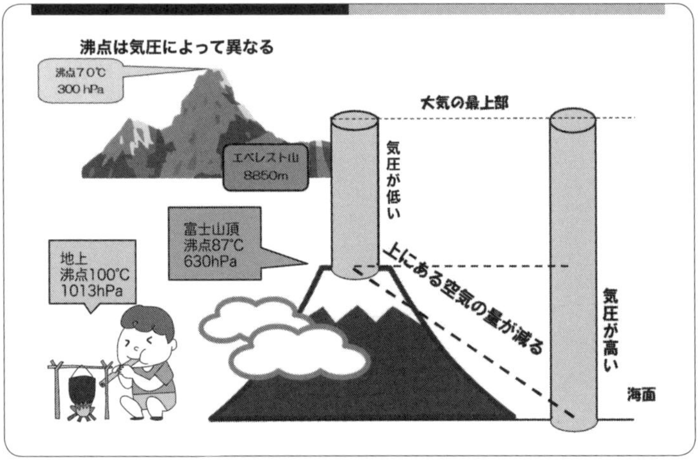

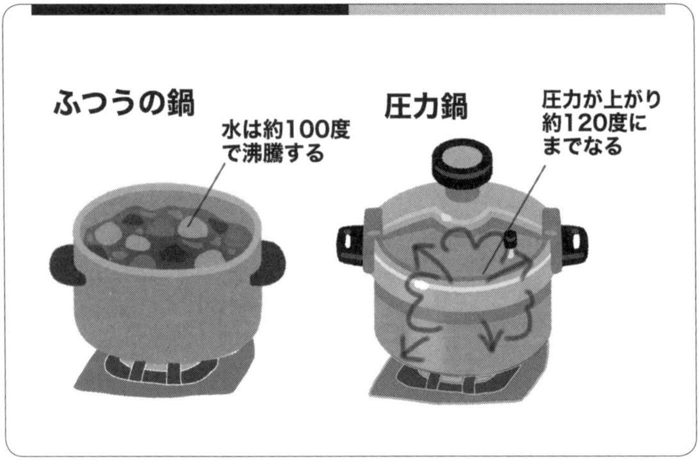

山登りで頂上でのおいしい食事は醍醐味です。登山で高い山に登り、持参したお菓子の袋がぱんぱんになった経験をした人は多いと思います。

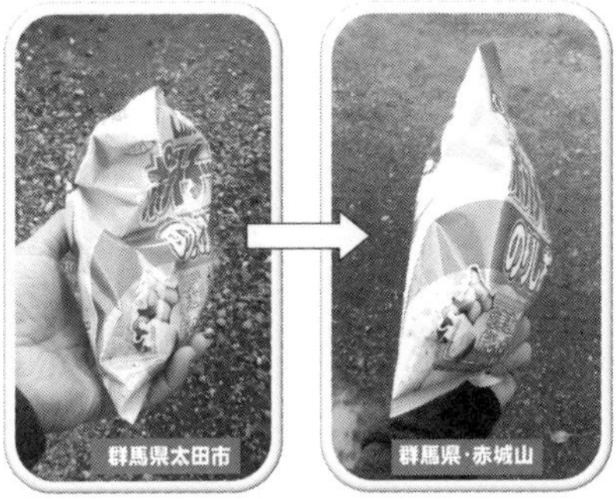
群馬県太田市
群馬県・赤城山

高地のホテルやレストランでは、調理に大変苦労しています。ふつうにお鍋でお湯を沸かした程度ではおいしくできないのです。

ところで、家庭で料理をする時に、圧力鍋を使うと速く調理ができたり、硬い食材が速く柔らかくなる経験をお持ちの方もいると思います。

調理をする上で、高地では、お湯を沸かす時の沸騰温度が違うので苦労しています。その点、圧力鍋は水の沸騰温度を高くできるので高地での難しい料理を助けてくれます。

室内でも同じことが起こっている

お菓子の袋が山でぱんぱんに膨れあがるのと逆に、山の頂上で飲み終えて蓋《ふた》をしたペットボトルが家に帰ると凹んでいることがあります。これは、標高が上がると空気が薄くなり気圧が下がることから起きる現象です。

まず、標高と気圧について説明します。

おかし
気圧だ
気圧だー!
気圧だ
気合りだよー

気圧とは、その地点の単位面積あたりの鉛直方向（上方向）の空気の総重量をいいます。言い方を変えると、ある地点の空気の重さのことです。気圧の単位は hPa（ヘクトパスカル）で表されます。

また、水の沸点は気圧の影響を受けます。液体の水は、水分子の集まりです。熱エネルギーを加えると分子の運動が大きくなり飛び出します。ここで圧力（気圧）がかかると飛び出す運動を押さえつけていることになります。抑える力が弱ければ、熱エネルギーは小さくても飛び出しやすくなります。

つまり、気圧が下がると水の沸騰温度も下がってきます。標高・気圧と水の沸騰温度は、次のページの表のように変わっていきます。つまり標高が上がれば、気圧が下がり、水の沸点は下がります。逆に、気圧が高くなれば、水の沸点も高くなるのです。

気圧が高いとすぐに沸騰するから…
気あつけてね〜!

平均して地上は 1013 hPa（1 気圧）で水の沸点は 100℃です。標高が 1000 m 高くなるにつれて気圧は約 100 h Pa ずつ低下します。富士山の山頂（3776 m）では約 650 h Pa で気温も約－4℃まで下がります。そして、水の沸点は約 88℃まで低くなります。富士山に登らなくても標高 2000 m 位の山での沸点は約 94 度ですから、地上ほど熱くなりません。

だから、高地で炊いたご飯は芯まで熱が伝わりにくいので、固めなのです。

標高	気温	大気圧	地上の大気圧との比	水の沸点
0m	20度	1013hPa	1倍	100度
1000m	14度	904hPa	0.89倍	96.8度
2000m	7度	805hPa	0.80倍	93.8度
3000m	1度	714hPa	0.70倍	90.5度
3776m	−4度	650hPa	0.64倍	88.0度
5000m	−12度	561hPa	0.55倍	84.3度
8848m	−33度	332hPa	0.32倍	71.5度

気圧と沸点の関係から圧力鍋は生まれた

気圧と水の沸点の変化の原理を利用して作られたのが圧力鍋です。加熱して中に入っている水が沸騰し水蒸気で圧力が上がるしくみになっています。

圧力をかけてあげれば、水の沸点は高くなります。料理を作る時に、高温で煮ると、野菜の色落ちも少なく、また、調理時間も短くなり、味も落ちにくくなります。

圧力鍋は、水蒸気によって鍋内部の圧力が高くなると危険なので、一定以上になると蒸気を逃がすしくみになっています。圧力鍋の内部は、1.5気圧ぐらいまで上げられ、約120℃くらいになります。高温なために調理時間も1/3位になります。

ここが一緒！

気圧が低いと水の沸点が下がるのは、鍋の圧力をかけると沸点をあげられるのと同じ原理！

9 「川霧」は「湯気」から説明できます！

温かい水が蒸発し、冷たい空気に冷やされると「川霧」が発生する

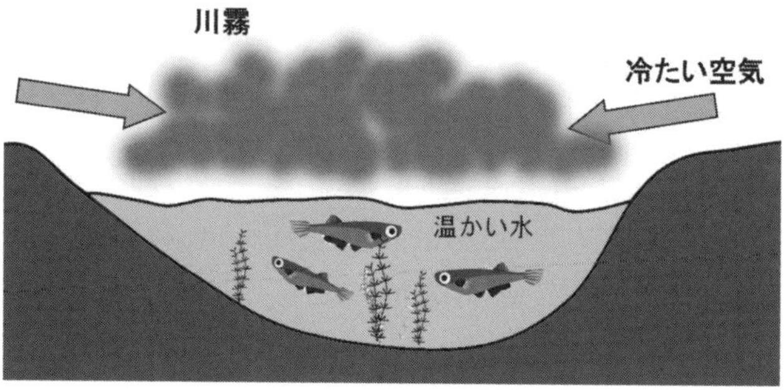

温かい水が蒸発し、冷たい空気に冷やされると「湯気」になる

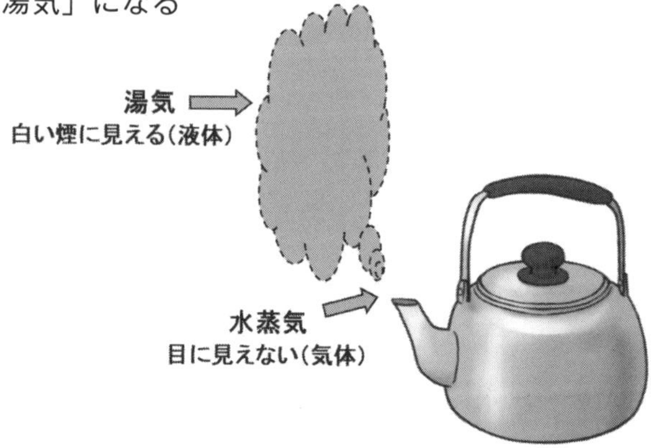

寒い早朝に川の上に霧がかかった現象に出逢ったことはありますか？。

また、寒い時に露天風呂に行くと、湯けむりが見られます。冷たい川と温かいお風呂。正反対のようで、じつは同じ現象として説明できます。

霧の発生条件はどんなとき？

あんな霧たちより
オレの方が
キリっとしたいい
男さ！
そういうウヌボレ
きらいよ
これキリに
しましょ……

まずは霧の発生条件をみてみましょう。

1 放射霧の発生条件

地面によって湿った空気が冷やされる時に発生する霧を放射霧といいます。晴れた昼間は、地面が太陽の熱で温められますが、夜間に地面が放射冷却で冷やされ、風がない時に発生しやすいです。

2 移流霧の発生条件

温かい空気が、湖や沼、海などの気温の低いところに移動してくると霧が発生することがあります。これを移流霧といいます。

3 蒸気霧の発生条件

水面から水が蒸発し、その水蒸気が冷やされて、霧になることがあります。川や池の水が温かくて蒸発し、冷たい空気によって冷やされる時に発生し、蒸発霧といいます。

4 前線霧の発生条件

暖気と寒気が接する温暖前線や寒冷前線の付近に発生する霧で、前線霧といいます。また、暖気と寒気が混ざり合う境目でも霧は発生します。

5 上昇霧の発生条件

地表が太陽の熱で温められ、水蒸気を含んだ空気が上昇し、気圧が下がると共に温度も下がり露点に達することで雲が発生します。また、風が山に当たり山麓に沿って上昇する時に空気が露点に達し雲が発生します。この雲の中に入ると霧になります。

やかんの口を見てみよう

やかんでお湯を沸かし、温度が高くなってくるとやかんの口から水蒸気が出てきます。やかんの口の近くでは、水は水蒸気の状態なので目に見えません。

しかし、その後周りの空気に冷やされた水蒸気は、小さな水滴となり白く見えます。これを「湯気」と言います。前述の霧の発生条件に当てはめると「蒸気霧」の条件とほぼ同じなのです。

川霧に出逢ってみよう

晩秋から冬は、夜晴れた日が多くなり、気温が下がります。前日に雨などがあると空気中には水蒸気かたくさんあります。雨が上がって間もなく晴れて、まだ寒気が入って来ないために西風もなく、穏やかな朝があります。上空は晴れて、風もなく、空気は水蒸気が多く、川の水温は気温より温かい朝には、決まって川霧が発生します。日の出と共に気温が上がると、この川霧の寿命は短く、消えていきます。

お風呂場が曇る現象も同じ

露天風呂だけでなく、自宅のお風呂場でも似た現象が起きます。湯船に温かいお湯がたまり、お風呂の蓋を外した時、風呂場の気温が低いために、お湯から出た水蒸気が一気に冷やされ霧のようになることがあります。

最近の家庭のお風呂は、断熱効果が高く設計されていて、風呂場全体が温かく保たれるようになっています。このようなお風呂では、なかなか曇る現象を見ることが少なくなりました。

温泉地や銭湯などの大きな風呂場に行った時は、お湯につかって上を見てください。上にある電灯が曇ってぼんやり見えたりすることがよくあります。このように、風呂場全体は温かいようですが、外気に触れる天井や換気口近くなど曇っていて霧のように見えることがよくあるのです。

温泉マークマメチシキ

湯船から湯気が出ている様子を表した温泉マークは、安中市磯部温泉の地から生まれました。日本最古の温泉記号です。（１６６１年の地元絵図に記載）

ここが一緒！

「川霧」も「湯気」も、あたたかい水から水蒸気が蒸発し、周りの空気に冷やされ、「小さな水滴＝霧」になることが同じ！

おもしろさ再発見 10

「星の瞬き」は「川底の小石」で説明できます！

星の瞬きは…

川底の石の見え方と同じ

＝　×

“流れ”にさえぎられている

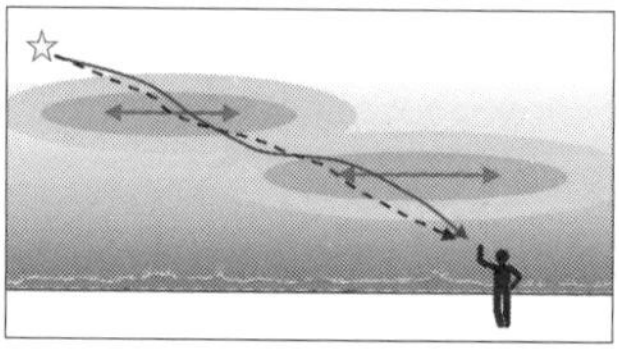

まっすぐ光が届くわけではない

ユラ ユラ ユラ
信
ジ
レ〜
ションな〜!
信じらんない
それが
シンチレーション

冬の空気が澄んだ日に星を見ていると、星がきらきら瞬《またた》いています。まるで点滅しているようにも見えます。キラキラ輝く星はとても美しく見えます。

また、流れる川の中の様子を見ると、川底の石が揺れていて、石の形がはっきりと見えません。

この２つの現象は同じ原理で説明できるのです。

冬は星空がきれいで、星が瞬いてるのはなぜ

冬は大気が澄んでいて、星々はとてもきれいに輝いて見えます。冬は大陸の乾燥した高気圧の影響で天気も良く空気が乾燥しています。また日本上空では、強いジェット気流があります。さらに、天気図が西高東低の日が多く、北西風の強い日が続きます。大気は上空 10 km 以上あり、そんな日の上空には、温度 (密度) の違った空気の塊が次々に流れ込んでいます。

光は、密度が違う物質に当たると屈折し一部が反射します。上空を流れる大気は温度が一様ではなく、絶えず温度 (密度) の違った空気塊が流れ込んでいます。また、山を超えた風が上下に波を打つことによっても温度差が生じた空気が流れ込んできます。

上空 8 ～ 13 km 付近には、ジェット気流という強い対流圏偏西風があります、北緯 40 度付近の寒帯ジェット気流と北緯 30 度付近の亜熱帯ジェット気流があり、長さ数千 km、厚さ数 km、幅 100 km 程度で、特に冬は、2 つのジェット気流が合流する日本付近の風速は 30 m/s か

ら 100 m/s 近くに達することもあります。

冬は、上空の強いジェット気流や西風などにより絶えず温度の違った空気塊が流れ込み、わずかな温度差でも星からの光の屈折が起きます。そして、光が曲がり、星は観察者にとって明るさが変わったりして瞬いて見えるのです。星自体の明るさに変化はありませんが、望遠鏡で見ると、ゆらゆら揺れたり、何重にも重なって見えたりします。これは大気による「シンチレーション」と言います。

流れる川の底にある石もゆらゆら

川底の石を見ると、ゆらゆら揺れて形がはっきりしません。川底の石と観察者の間には、流れる水があります。水の流れのない池は、風がなければ水面は安定して、底の石がはっきり見えます。しかし、川の水は流れて波があります。また、わずかですが水温の違った水が複雑に混ざり絶えず流れています。

川の場合、わずかな水温の違った水の流れ以上に波による影響が大きく、光の屈折がとても大きくなります。そのため、川底に小さな魚がいてもなかなか気づかないです。

陽炎《かげろう》も同じ現象

陽炎は、日射で温められた地面により局所的に密度の異なる空気が混ざり合うことで光が屈折して起こる現象です。夏など

モヤ
モヤ〜
あっ陽炎《かげろう》!
もう暑いからかげろうよ〜

日射が強く風が弱い日は、地面は高温になります。特に道路のアスファルトなどからは、温まった空気塊が立ち昇ります。そんな日に道路の遠くを見ると、もやもやとしたゆらめきが起きます。

惑星は瞬かない

星は、大気に揺らぎにより瞬くと説明しましたが、惑星は瞬かないのです。シリウスなどの明るい恒星の瞬きは、とてもきれいに見えますが、惑星は、明るい天体であっても瞬きません。それは惑星は点光源でなく、見かけ上面積を持った天体であるため、観察者にしっかりと光が届くからです。夜空を見上げて明るい星を見つけ、瞬かない星があったら、惑星ではないかと考えられます。しかし、望遠鏡を使って倍率を上げて惑星を観察すると、瞬きませんがゆらゆら揺れて見えます。

ここが一緒！

「星の瞬き」も「ゆらゆら見える川底の石」は、観察者と対象との間に、絶えず温度の違った大気や水が流れて起きる光の屈折で起きる現象です！

編著者紹介

左巻健男（さまき たけお）
1949年、栃木県生まれ。東京大学講師。千葉大学教育学部卒。東京学芸大学大学院教育学研究科修士課程修了。専門は理科教育。東京大学教育学部附属中学校・高等学校教諭、京都工芸繊維大学教授、同志社女子大学教授、法政大学教授などを歴任。「RikaTan（理科の探検）」編集長。理系の話が苦手な人にこそ、科学の面白さを伝えていこうと本書の執筆に至った。

科《か》学《がく》はこう「たとえる」とおもしろい！

2020年3月1日　第1刷

編　著　左《さ》巻《まき》健《たけ》男《お》

発行者　小澤源太郎

責任編集　株式会社 プライム涌光
電話　編集部　03(3203)2850

発行所　株式会社 青春出版社
東京都新宿区若松町12番1号 〒162-0056
振替番号　00190-7-98602
電話　営業部　03(3207)1916

印刷　中央精版印刷　　製本　大口製本

万一、落丁、乱丁がありました節は、お取りかえします。

ISBN978-4-413-23150-3 C0040